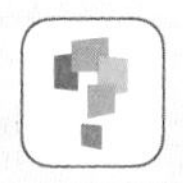

大语文分级阅读

小狐狸阿权

友谊的桥梁

[日] 新美南吉 著
学而思教研中心 编

山东电子音像出版社
·济南·

第一学段·1—2年级

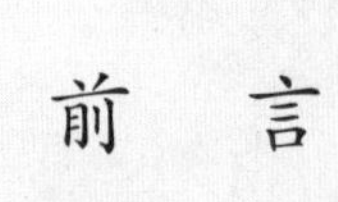

前　言

——写给爸爸妈妈和老师

“阅读力就是成长力”，这个理念成为越来越多父母和老师的共识。的确，阅读是一个潜在的“读—思考—领悟”的过程，孩子通过这个过程，打开心灵之窗，开启智慧之门，远比任何说教都有助于其成长。

儿童教育家根据孩子的身心特点，将阅读目标分为三个学段：第一学段（1—2 年级），课外阅读总量不少于 5 万字；第二学段（3—4 年级），课外阅读总量不少于 40 万字；第三学段（5—6 年级），课外阅读总量不少于 100 万字。

从当前的图书市场来看，小学生图书品类虽多，但大多未做分级。从图书的内容来看，有些书籍加了拼音以降低识字难度，可文字量又太大，增加了阅读难度，并未考虑孩子的阅读力处于哪一个阶段。

阅读力的发展是有规律的。一般情况下，阅读力会随着年龄的增长而增强，但阅读力的发展受到两个重要因素的影响：阅读方法和阅读兴趣。如果阅读方法不当，就不能引起孩子的阅读兴趣，而影响阅读兴趣的关键因素是智力和心理发育程度，因此孩子的阅读书籍应该根据其智力和心理的不

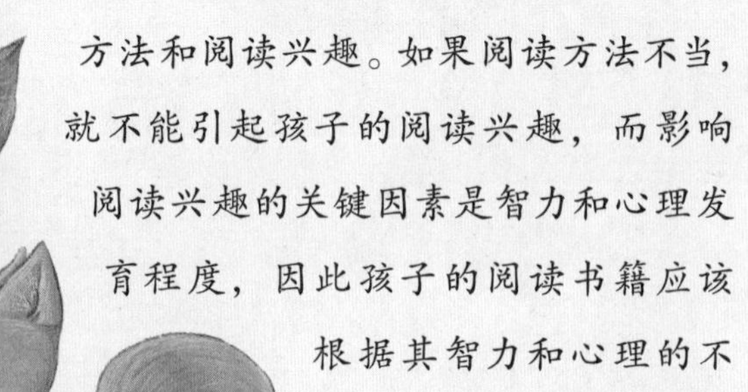

同发展阶段进行分类。

教育学家研究发现，1—2年级的孩子喜欢与大人一起朗读或阅读内容浅显的童话、寓言、故事。通过阅读，孩子能获得初步的情感体验，感受语言的优美。这一阶段要培养的阅读方法是朗读，要培养的阅读力是喜欢阅读，可以借助图画形象理解文本，初步形成良好的阅读习惯。

3—4年级孩子的阅读力迅速增强，阅读量和阅读面开始增加和扩大。这一阶段是阅读力形成的关键期，要培养的阅读方法是默读、略读，要培养的阅读能力是阅读时要重点品味语言、感悟人物形象、表达阅读感受。

5—6年级孩子的自主阅读能力更强，喜欢的图书更多元，对语言的品位有要求，开始建立自己的阅读趣味和评价标准。这一阶段要培养的阅读方法是浏览、扫读，要培养的阅读力是概括能力、品评鉴赏能力。

本套丛书编者秉持“助力阅读，助力成长”的理念，精挑细选、反复打磨，为每一学段的孩子制作出适合其阅读力和身心发展特点的好书。

我们由衷地希望通过这套书，能增强孩子阅读的幸福感，提升其阅读力和成长力。

学而思教研中心

目 录

xiǎo hú li ā quán

小狐狸阿权

tiáo pí de ā quán

调皮的阿权

*

zài hěn jiǔ yǐ qián yǒu yì zhī xiǎo hú li tā de míng zi jiào ā quán

在很久以前，有一只小狐狸，他的名字叫阿权。

ā quán shì yí gè gū ér cóng xiǎo jiù méi yǒu le qīn rén

阿权是一个孤儿，从小就没有了亲人。

tā zài sēn lín zhōng de mǒu kē dà shù páng wā le yí gè dòng nà biàn shì tā de jiā

他在森林中的某棵大树旁挖了一个洞，那便是他的家。

ā quán chū shēng yǐ lái yì zhí yí gè rén zì yóu zì zài wú jū wú shù de shēng huó zhe

阿权出生以来，一直一个人自由自在、无拘无束地生活着。

ā quán shì gè fēi cháng tiáo pí de xiǎo hú li tā bù xǐ huan ān jìng de dāi zhe zǒng shì xián bú zhù suǒ yǐ tā jīng cháng huì pǎo dào

阿权是个非常调皮的小狐狸，他不喜欢安静地待着，总是闲不住。所以，他经常会跑到附近的村子里玩耍，而且喜欢折腾出一些让人头疼的恶作剧。

比如，他会突然跑去田地里，趁人们专心劳作时，把人们埋在地下的芋头都刨出来，把田地搞得乱七八糟的。

有时候，他会偷偷地拿着火把，在人们已经晒好的油菜花上放一把火，把油菜花全都烧掉。

又或者，阿权会偷偷地盯上人们挂在门上的干辣椒，趁着没人注意，一下子全部拽走，然后丢在路旁。

诸如此类的捣蛋（无理取闹，搞破坏）事儿，他干了很多很多，多到连他自己都记不清楚了。

因此，村子里的人都非常不喜欢他。

pǎo dào hé biān
跑到河边

*

zhè yì nián de qiū tiān　jiē lián xià le hǎo jǐ tiān de dà yǔ
这一年的秋天，接连下了好几天的大雨，
ā quán méi fǎr　chū mén　zhǐ hǎo wō zài jiā lǐ dǎ fa shí jiān
阿权没法儿出门，只好窝在家里打发时间。

zhōng yú　yǔ tíng le　niǎo ér men yòu kāi shǐ zài zhī tóu
终于，雨停了，鸟儿们又开始在枝头
jiū jiū　de jiào zhe　kuài yào biē huài de ā quán zhōng yú kě yǐ
“啾啾”地叫着，快要憋坏的阿权终于可以
chū lái tòu tou qì le
出来透透气了。

wài miàn de kōng qì zhēn xīn xiān na
“外面的空气真新鲜呐！”

ā quán biān shuō biān huān kuài de pǎo xiàng cūn zi páng de xiǎo hé biān
阿权边说边欢快地跑向村子旁的小河边。

yǔ hòu de hé àn fēi cháng cháo shī　píng rì lǐ dī zhe tóu　méi
雨后的河岸非常潮湿，平日里低着头、没
jīng dǎ cǎi de gǒu wěi ba cǎo　cǐ shí yě jīng shen qǐ lái　máo róng róng
精打采的狗尾巴草，此时也精神起来，毛茸茸
de cǎo suì shàng dōu guà mǎn le liàng jīng jīng de shuǐ zhū
的草穗上都挂满了亮晶晶的水珠。

xiǎo hé lǐ de shuǐ yuán lái shì qiǎn qiǎn de yì céng　xiàn zài yě biàn
小河里的水原来是浅浅的一层，现在也变
shēn le yì diǎnr　shuǐ liú hēng zhe　huā lā lā　de qǔ zi huān kuài
深了一点儿，水流哼着“哗啦啦”的曲子欢快
de bēn xiàng qián fāng
地奔向前方。

yuán běn méi yǒu bèi hé shuǐ mò guò de hú zhī zǐ xiàn zài yě bèi
原本没有被河水没过的胡枝子，现在也被
chōng dǎo le tā men pā zài hé miàn shàng suí zhe shuǐ liú dōng yáo xī huàng
冲倒了，它们趴在河面上随着水流东摇西晃，
tiáo pí de xiàng gè hái zi
调皮得像个孩子。

ā quán yán zhe ní nìng xíng róng yǔ hòu dào lù shī huá nán xíng
阿权沿着泥泞（形容雨后道路湿滑难行）
de xiǎo lù xiàng xiǎo hé de xià yóu zǒu qù
的小路，向小河的下游走去。

zǒu zhe zǒu zhe tā tū rán fā xiàn hé lǐ yǒu yí gè rén
走着走着，他突然发现河里有一个人。

yí nà shì shuí ne ā quán yǒu diǎnr hào qí
“咦？那是谁呢？”阿权有点儿好奇。

zhǐ jiàn nà ge rén zhèng wān zhe yāo bù zhī dào zài gàn xiē shén
只见那个人正弯着腰，不知道在干些什
me
么。

ā quán wèi le bú ràng nà ge rén fā xiàn zì jǐ sōu de yí
阿权为了不让那个人发现自己，“嗖”的一
xià zuān dào le cǎo cóng shēn chù tā zhēng dà shuāng yǎn zǐ xì de kàn zhe
下钻到了草丛深处，他睁大双眼，仔细地看着
nà ge rén
那个人。

发现兵十

*

“啊，原来是兵十！”阿权差点儿叫出声。

只见兵十把黑色的裤腿挽得高高的，两条腿泡在浑浊的河水里，正在十分吃力地摇晃着渔网捕鱼呢！

他的脸上挂满了亮晶晶的水珠，分不清是汗水还是河水。还有一片圆圆的胡枝子黏在他的脸上，看上去像一颗大大的黑痣。

“他在干什么呢？”躲在草丛里的阿权一动不动地、静静地盯着兵十。

不一会儿，兵十就把渔网下面像袋子一样的东西从水里拉了出来。

虽然那里面有很多杂草烂叶，但是也有不少亮闪闪的白色的东

xi bīng shí bǎ lǐ miàn de dōng xi ná chū lái kàn le kàn yuán lái shì
西。兵十把里面的东西拿出来看了看，原来是
féi měi de mán yú hé yǎ luó yú
肥美的鳗鱼和雅罗鱼。

bīng shí bǎ mán yú hé yǎ luó yú yì qǐ dào jìn le yú lǒu lǐ rán
兵十把鳗鱼和雅罗鱼一起倒进了鱼篓里，然
hòu zā jǐn wǎng dài jiāng wǎng dài zài cì rēng jìn shuǐ zhōng
后扎紧网袋，将网袋再次扔进水中。

zuò wán zhè xiē hòu tā yì shēng bù kēng de tí zhe yú lǒu shàng le
做完这些后，他一声不吭地提着鱼篓上了
àn bǎ yú lǒu fàng zài le àn biān rán hòu dú zì wǎng xiǎo hé shàng yóu
岸，把鱼篓放在了岸边，然后独自往小河上游
zǒu qù le hǎo xiàng shì yào qù zhǎo xiē shén me dōng xi yí yàng
走去了，好像是要去找些什么东西一样。

tā yòu yào qù gàn shén me ne ā quán yí huò bù jiě
“他又要去干什么呢？”阿权疑惑不解。

“鳗鱼帽子”

*

兵十前脚刚走，阿权后脚就从草丛里飞蹿到鱼篓边，像往常一样开始搞恶作剧。

只见他把鱼篓里的鱼抓出来，“啪嗒啪嗒”地把一条一条的鱼又扔回河里。

“咕咚咕咚”，那些鱼回到河里瞬间就不见了踪影。

最后，只剩下一条又大又肥的鳗鱼了。这条鳗鱼丝毫不知道这样的“抓捕”可以让它重获自由，任凭阿权怎么抓，也抓不住它。

“啊，气死了！”

阿权没了耐心，于是一着急，就把头伸进了鱼篓里，一口咬住了鳗鱼的

头。这条鳗鱼顺势就用尾巴“嗖”的一下缠住了阿权的头。

恰巧，这一幕被返回的兵十看到了，他愤怒地喊道：“走开！坏狐狸！”

阿权吓了一跳，但是怎么也甩不掉鳗鱼。情急之下，他只好顶着这个奇怪的“鳗鱼帽子”飞快地逃走了。

他一路飞奔，一直跑到树洞口附近，小心翼翼地回头看了看，发现兵十并没有追过来，这才松了一口气。

最后他用力把鳗鱼头咬住，这才把鳗鱼拉下来，并扔在了洞外的草丛里。

发现异常

*

一晃十几天过去了，阿权再次到村子附近散步。

但是，当他路过弥助家的时候，看到弥助的妻子正在染牙齿（旧时日本的妇女流行将牙齿染黑，并以此为美）；路过打铁的新兵卫家时，看到他的妻子正在梳头。

阿权十分纳闷：“咦？村子里是发生了什么事情吗？是秋日祭活动吗？如果是的话，这时候应该有太鼓（日本的代表性乐器，有大有小，形状类似啤酒桶）、笛子这些声音呐，而且神社前也应该升起旗子才对……”

阿权一边走着一边想这件事，不知不觉就走到了一口水井边。

这口井正好对着兵十的家，阿权朝里面看了看，兵十家那个小小的院子里聚集了很多人。

其中有几个穿着和服的妇女，正在灶台边烧火，灶台上的大锅里正在煮着些什么东西，“呼呼”地冒着热气。

“啊，好像是葬礼呀。”阿权心里想着，“是谁去世了吗？”

阿权一刻也不敢在这地方多待了，他看了一眼就匆匆离开了。

qù wǎng mù dì

去往墓地

*

guò le shǎng wǔ wú suǒ shì shì de ā quán dú zì wǎng cūn lǐ de
过了晌午，无所事事的阿权独自往村里的
mù dì zǒu qù
墓地走去。

dào le mù dì tā qiāo qiāo de duǒ zài dì zàng pú sà xiàng de hòu
到了墓地，他悄悄地躲在地藏菩萨像的后
miàn bù zhī dào zài děng dài shén me
面，不知道在等待什么。

qí shí nà tiān de tiān qì kàn shàng qù hěn bú cuò yuǎn chù wū dǐng
其实那天的天气看上去很不错，远处屋顶
shàng de fáng wǎ zài yáng guāng de zhào yào xià shǎn zhe jīn sè de guāng ér
上的房瓦，在阳光的照耀下闪着金色的光。而
qiě mù dì lǐ hái shèng kāi zhe chéng piàn chéng piàn de bǐ àn huā yuǎn yuǎn
且，墓地里还盛开着成片成片的彼岸花，远远
wàng qù jiù xiàng shì yí kuài hóng sè de chóu bù
望去，就像是一块红色的绸布。

zhè shí cūn zi nà tóu chuán lái le yí zhèn dāng dāng dāng de
这时，村子那头传来了一阵“当当当”的
zhōng shēng ā quán zhī dào nà shì chū bìn zhǐ jiāng guān cai yí zhì mù dì
钟声，阿权知道那是出殡（指将棺材移至墓地
huò bìn yí guǎn de xìn hào
或殡仪馆）的信号。

méi guò yí huìr ā quán yǐn yǐn yuē yuē de kàn dào yǒu yí liè
没过一会儿，阿权隐隐约约地看到有一列
cháng cháng de chuān zhe sāng fú de rén pái chéng duì cóng yuǎn chù zǒu lái
长长的、穿着丧服的人排成队从远处走来，
nà shì sòng zàng de duì wu
那是送葬的队伍。

zài ā quán de zhù shì xià zhè liè cháng cháng de duì wu zǒu jìn le
在阿权的注视下，这列长长的队伍走进了
mù dì bìng qiě yóu yú lái de rén hěn duō hái bǎ yán tú de huā
墓地。并且，由于来的人很多，还把沿途的花
gěi cǎi de qī líng bā luò kàn shàng qù yí piàn láng jí
给踩得七零八落，看上去一片狼藉。

dàn shì ā quán kàn bú jiàn qián miàn tā zhǐ néng diǎn qǐ jiǎo jiān
但是，阿权看不见前面，他只能踮起脚尖
nǔ lì xiàng qián wàng qù
努力向前望去。

dào dǐ shì shuí qù shì le ne
“到底是谁去世了呢？”

tā shí fēn xiǎng zhī dào
他十分想知道。

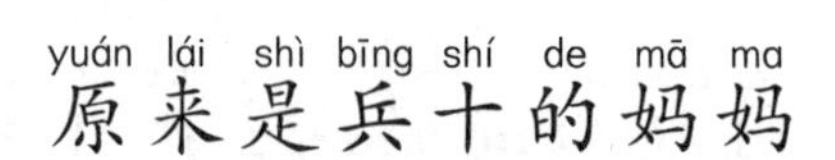

原来是兵十的妈妈

*

阿权努力了几下，透过人群，终于看见了。

最前面站着的人是兵十，他穿着一身黑色的武士礼服，手里捧着一块牌位，平时看起来很健康的肤色，此时显得十分憔悴。

“啊，看起来去世的人应该是兵十的妈妈！”阿权这么想着。

知道是谁后，阿权心情复杂地离开了，回去以后，他在洞里反复地想着这件事情。

“啊，兵十的妈妈生前一定是想吃鳗鱼肉了，所以兵十才会拿着渔网去河里捕鱼。可不巧的是那天他碰到了我，因为我的恶作剧把鳗鱼都放走了。也是因为我的缘故，他的妈妈在

lí kāi rén shì zhī qián lián yì kǒu mán yú ròu dōu méi chī shàng hǎo xiǎng
离开人世之前连一口鳗鱼肉都没吃上。‘好想

chī mán yú ya hǎo xiǎng chī mán yú ya tā yí dìng xiàng zhè yàng niàn
吃鳗鱼呀！好想吃鳗鱼呀！’她一定像这样念

dao le hǎo jiǔ zuì hòu què dài zhe shī wàng lí kāi le zhè ge shì jiè
叨了好久，最后却带着失望离开了这个世界。

ài wǒ zhēn bù yīng gāi kāi nà yàng de wán xiào
唉，我真不应该开那样的玩笑！”

ā quán yì zhí zài xiǎng zhè jiàn shì tā jué de zì jǐ fàn le hěn
阿权一直在想这件事，他觉得自己犯了很

dà de cuò wù
大的错误。

补偿兵十

*

这天，兵十正在淘麦子，他一边干着活儿，一边走神。

以前，兵十和母亲相依为命，现在母亲离开了，就剩下他自己了。

阿权在库房后面偷偷地看着兵十，心想：“可怜的兵十跟我一样，也变成孤零零的一个人了。”

阿权刚准备离开库房，就听见不知从什么地方传来的叫卖声。

“沙丁鱼便宜啦！新鲜的沙丁鱼！”

阿权灵机一动，就朝着叫卖声的方向跑了过去。

这时，弥助的妻子在后门喊了一声：“我要买沙丁鱼！”

mài shā dīng

卖沙丁

yú de rén wén yán bǎ zhuāng zhe yú lǒu

鱼的人闻言把装着鱼篓

de chē zi tíng zài lù biān， liǎng shǒu zhuā qǐ yì tiáo shǎn shǎn fā liàng de shā

的车子停在路边，两手抓起一条闪闪发亮的沙

dīng yú， jiù zǒu jìn le mí zhù jiā。

丁鱼，就走进了弥助家。

zhè shí， ā quán chèn jī （lì yòng jī huì） cóng yú lǒu lǐ zhuā

这时，阿权趁机（利用机会）从鱼篓里抓

chū wǔ liù tiáo shā dīng yú， pǎo le huí lái。

出五六条沙丁鱼，跑了回来。

jiē zhe， tā jiù bǎ shā dīng yú cóng hòu mén qiāo qiāo de rēng jìn le

接着，他就把沙丁鱼从后门悄悄地扔进了

bīng shí jiā， rán hòu xīn mǎn yì zú de cháo zhe zì jǐ de dòng xué pǎo qù。

兵十家，然后心满意足地朝着自己的洞穴跑去。

pǎo dào bàn dào de yí gè shān pō shàng， tā huí tóu yí kàn， bīng

跑到半道的一个山坡上，他回头一看，兵

shí nà xiǎo xiǎo de shēn yǐng hái zài jǐng biān táo mài zi ne。

十那小小的身影还在井边淘麦子呢。

ā quán xiǎng， zhè shì zì jǐ wèi le bǔ cháng

阿权想，这是自己为了补偿

bīng shí， zuò de dì yī jiàn hǎo shì。

兵十，做的第一件好事。

sòng lì zi
送栗子

*

dì èr tiān, ā quán zài shān lǐ xīn xīn kǔ kǔ de jiǎn le yí dà
第二天，阿权在山里辛辛苦苦地捡了一大
pěng lì zi, yòu qiāo qiāo lái dào bīng shí jiā.
捧栗子，又悄悄来到兵十家。

tā cóng hòu mén wǎng lǐ yì qiáo, bīng shí zhèng zài chī wǔ fàn ne.
他从后门往里一瞧，兵十正在吃午饭呢。
zhǐ jiàn bīng shí duān zhe fàn wǎn, yí gè rén zài nà lǐ fā dāi.
只见兵十端着饭碗，一个人在那里发呆。

qí guài, tā de liǎn shàng zěn me hái yǒu shāng? dào dǐ chū le shén
奇怪，他的脸上怎么还有伤？到底出了什
me shì? zěn me huì chéng zhè yàng?
么事？怎么会成这样？

zhèng dāng ā quán zài xīn lǐ fàn dí gu de shí hou, jiù tīng jiàn
正当阿权在心里犯嘀咕的时候，就听见
bīng shí yí gè rén dū dū nāng nāng (bú duàn de, hán hùn de zì yán zì
兵十一个人嘟嘟囔囔（不断地、含混地自言自
yǔ) de shuō: "dào dǐ shì shuí bǎ shā dīng yú rēng dào wǒ jiā lǐ de
语）地说：“到底是谁把沙丁鱼扔到我家里的
ne? hài de wǒ bèi mài shā dīng yú de nà ge rén dàng chéng xiǎo tōu, hái
呢？害得我被卖沙丁鱼的那个人当成小偷，还
bèi hěn hěn de zòu le yí dùn, hǎo yuān wang a!"
被狠狠地揍了一顿，好冤枉啊！”

"zhè xià yòu chuǎng huò le." ā quán xīn lǐ xiǎng.
“这下又闯祸了。”阿权心里想。

原来，卖沙丁鱼的人发现鱼少了后，看到兵十家多了鱼，于是可怜的兵十被卖沙丁鱼的人当成了偷鱼贼揍成了这个样子。

阿权一边这样想，一边又悄悄地绕到库房的门口，放下了自己捧着的栗子，回家去了。

接下来的几天，阿权每天都捡栗子送到兵十家。

到了第五天，阿权不只送了栗子，还送了两三个松口蘑。

bīng shí de yí huò

兵十的疑惑

*

zhè tiān wǎn shang míng yuè dāng kōng yè sè mí rén ā quán chū qù wán shuǎ

这天晚上，明月当空，夜色迷人，阿权出去玩耍。

gāng zǒu guò zhōng shān lǎo ye de chéng lóu xià miàn jiù tīng jiàn xiǎo lù de lìng yì tóu chuán lái le shuō huà shēng hǎo xiàng yǒu rén zǒu guò lái le

刚走过中山老爷的城楼下面，就听见小路的另一头传来了说话声，好像有人走过来了。

ā quán lián máng duǒ dào lù biān yí dòng yě bú dòng de níng shén tīng zhe shuō huà shēng yuè lái yuè qīng chu le yuán lái shì bīng shí hé yí gè jiào jiā zhù de nóng mín

阿权连忙躲到路边，一动也不动地凝神听着。说话声越来越清楚了，原来是兵十和一个叫加助的农民。

ò duì le wǒ shuō jiā zhù wa

“哦，对了，我说加助哇。”

á

“啊？”

zhè jǐ tiān wǒ shēn biān fā shēng le xǔ duō guài shì

“这几天我身边发生了许多怪事。”

shén me shì

“什么事？”

zì cóng wǒ mǔ qīn qù shì hòu bù zhī shì shuí měi tiān dōu gěi wǒ sòng lái lì zi hé sōng kǒu mó

“自从我母亲去世后，不知是谁，每天都给我送来栗子和松口蘑。”

yí huì shì shuí ne
“咦，会是谁呢？”

shuí zhī dào ne tā zǒng shì chèn wǒ bú zhù yì fàng xià dōng
“谁知道呢！他总是趁我不注意，放下东

xi jiù zǒu le
西就走了。”

ā quán qiāo qiāo de gēn zài tā men hòu miàn
阿权悄悄地跟在他们后面。

huì yǒu zhè yàng de guài shì
“会有这样的怪事？”

zhēn shì qí guài le
“真是奇怪了！”

shuō wán liǎng gè rén biàn mò mò de zǒu yuǎn le
说完，两个人便默默地走远了。

jiā zhù wú yì zhōng huí tóu kàn le yì yǎn
加助无意中回头看了一眼。

ā quán xià le yí tiào lì mǎ zài lù biān suō chéng yì tuán zhàn
阿权吓了一跳，立马在路边缩成一团，站

zhù bú dòng le
住不动了。

jiā zhù méi yǒu fā xiàn ā quán tā men liǎng gè rén zǒu jìn
加助没有发现阿权。他们两个人走进

yí gè jiào jí bīng wèi de nóng mín jiā lǐ
一个叫吉兵卫的农民家里。

cóng zhè ge nóng mín jiā lǐ miàn chuán lái le dǔ
从这个农民家里面传来了“笃

dǔ dǔ dǔ qiāo dǎ mù yú de shēng yīn
笃笃笃”敲打木鱼的声音。

难道是神明

*

原来是在做法事啊！阿权蹲在井边暗暗地想着。过了一会儿，又有三个人走进了吉兵卫家。

屋子里传来了朗朗的念经声。

阿权一直蹲在井边，耐心等着他们念完经做完法事。

不多久，兵十和加助就一起出来，原路返回往家的方向走去了。

阿权还想再听听两个人说什么，于是踩着兵十的影子，悄悄地跟在后面。

走到城楼前面的时候，加助

说：“你刚才说的事，准是神明干的。”

“什么？”

兵十吓了一跳，吃惊地看着加助的脸。

“我刚才一直在想，那好像不是人干的，一定是神明。神明看你一个人孤零零地生活怪可怜的，就施舍了那些东西给你。”

“是吗？”兵十有点儿相信了。

“当然是了。所以，你只要每天好好感谢神明就行了。”

“嗯。”兵十木讷地回答道。

“这家伙可真会胡扯（闲谈，瞎说）！明明是我送的栗子和松口蘑，不感谢我，却要去感谢神明，那我不是白干了？”阿权想。

发现真相

*

第二天，阿权又到兵十家送栗子去了。

正巧碰到兵十在哭。

却不料，就在这时，兵十猛地抬起了头。

“咦？这小狐狸怎么进我家里来了？该不会是上次偷鳗鱼的那只狐狸又来捣蛋了吧？”

于是，兵十决定会一会这只小狐狸。

他悄悄地站起身，取下挂在小屋里的火绳枪，装上了火药。

然后，他蹑手蹑脚（形容放轻脚步走的样子，也形容偷偷摸摸、鬼鬼祟祟的样子）地走过来，朝正要走出门去的阿权“砰”地放了一枪。

阿权“扑通”一声栽倒在地上。

兵十跑过去一看，地上堆了一捧栗子。

āi yā bīng shí jīng yà de bǎ mù guāng luò zài le ā quán
“哎呀！”兵十惊讶地把目光落在了阿权
de shēn shàng ā quán yuán lái shì nǐ zhè zhī xiǎo hú li yì zhí zài gěi
的身上，“阿权，原来是你这只小狐狸一直在给
wǒ sòng lì zi ya
我送栗子呀！”

ā quán wú lì de bì zhe yǎn jing diǎn le diǎn tóu
阿权无力地闭着眼睛，点了点头。

guāng dāng yì shēng bīng shí shǒu zhōng de huǒ shéng qiāng yí xià
“咣当”一声，兵十手中的火绳枪一下
zi diào zài le dì shàng qiāng kǒu hái mào zhe yì lǚ qīng yān
子掉在了地上，枪口还冒着一缕青烟。

xiǎo hú li mǎi shǒu tào
小狐狸买手套

xià xuě le
下雪了

*

dōng tiān dào le, běi fēng yì tiān bǐ yì tiān guā de měng liè, hú
冬天到了，北风一天比一天刮得猛烈，狐
li mǔ zǐ jū zhù de sēn lín yě yì tiān bǐ yì tiān lěng.
狸母子居住的森林也一天比一天冷。

yì tiān zǎo shang, xiǎo hú li zhèng zhǔn bèi chū dòng, tū rán tā yòng
一天早上，小狐狸正准备出洞，突然他用
liǎng zhī shǒu wǔ zhe yǎn jing, "ā" de yì shēng jiù gǔn dào le hú li mā
两只手捂着眼睛，“啊”的一声就滚到了狐狸妈
ma de huái lǐ.
妈的怀里。

"mā ma, wǒ de yǎn jing lǐ bù zhī dào jìn le shén me dōng
“妈妈，我的眼睛里不知道进了什么东
xi, kuài gěi wǒ chuī yi chuī! kuài diǎnr! kuài diǎnr!"
西，快给我吹一吹！快点儿！快点儿！”

狐狸妈妈吃了一惊，慌张地掰开小狐狸的手，看了又看，眼睛里什么也没有呀？

这究竟是怎么回事？

狐狸妈妈跑出洞一看。

原来昨天晚上下了一场很大很大的雪。

太阳一出来，厚厚的积雪反射出刺眼的光芒。而小狐狸呢，他从来没见过雪，所以眼睛被强烈的白光刺疼了，便以为是里面进了什么东西呢。

小狐狸从妈妈那里知道了这是雪，便一点儿也不害怕了。

他欢快地跑到像棉被一样松软的雪地上，尽情地转起圈来。

软软的雪花，像细细的绒毛（物体表面连成一片的、纤细的、柔软的短毛）似的在他身旁飞舞，简直美丽极了。

冻得发麻

*

这时，一阵可怕的声音突然从小狐狸身后传来："呱嗒，呱嗒，哗啦！"

紧接着，一个雪团"哗啦"一下向小狐狸的头顶砸了下来。

小狐狸吓了一跳，从雪中连滚带爬地逃出好远好远。

小狐狸心想："这是什么东西呀？"

他大着胆子回头瞧了瞧，却什么也没有看见，只有大簇大簇的雪团断断续续地从树枝间往下掉。

小狐狸回到洞中，他伸出两只冻得发紫的手，举到妈妈面前说："妈妈，我的手都冻得发麻了。"

狐狸妈妈一边温柔地往小狐狸的手上哈气，一边用自己暖和的大手轻轻地揉搓着小狐狸的手，给他传递温暖，并说：“不要怕，马上就暖和了。妈妈给你吹吹，很快就好了。”

狐狸妈妈心想：“我可爱的小宝宝，手上可千万不能生冻疮（常见于冬季，由于气候寒冷引起的局部皮肤反复红斑、肿胀性损害）！等天黑了，就去镇上买双合适的毛线手套给我的乖宝宝。”

yè mù jiàng lín
夜幕降临

*

màn màn de hēi chén chén de yè mù bǎ yuán yě hé sēn lín dōu
慢慢地，黑沉沉的夜幕把原野和森林都
lǒng zhào le qǐ lái
笼罩了起来。

dàn xuě hòu de sēn lín lǐ tài bái le wú lùn yè mù zěn yàng
但雪后的森林里太白了，无论夜幕怎样
bāo wéi réng néng lù chū jǐ sī liàng guāng lái
包围，仍能露出几丝亮光来。

hú li mā ma děng tiān chè dǐ hēi le cái dài zhe xiǎo hú li
狐狸妈妈等天彻底黑了，才带着小狐狸
cóng dòng lǐ zǒu chū lái
从洞里走出来。

xiǎo hú li jìng jìng de tiē zài mā ma shēn páng yì biān zǒu
小狐狸静静地贴在妈妈身旁，一边走
zhe yì biān dī liū liū de zhǎ zhe yuán yǎn jing hào qí de kàn zhe
着，一边滴溜溜地眨着圆眼睛，好奇地看着

zhè ge bīng xuě shì jiè xīn lǐ gǎn tàn dào hǎo měi ya
这个冰雪世界，心里感叹道：“好美呀！”

mǔ zǐ liǎng gè zǒu zhe zǒu zhe tū rán qián fāng chū xiàn le yí
母子两个走着走着，突然，前方出现了一
piàn shén mì de liàng guāng
片神秘的亮光。

xiǎo hú li kàn dào hòu chī jīng de wèn mā ma nà lǐ wèi shén
小狐狸看到后，吃惊地问：“妈妈，那里为什
me yǒu liàng guāng ne shì bú shì yǒu yì kē xīng xing diào dào nà lǐ le
么有亮光呢？是不是有一颗星星掉到那里了？”

nà bú shì xīng xing
“那不是星星。”

hú li mā ma huí dá dào tā de yǎn jing lǐ yǒu yì sī yóu yù
狐狸妈妈回答道，她的眼睛里有一丝犹豫
chí yí bù jué bù zhī dào zài xiǎng zhe shén me yú shì tā
（迟疑不决），不知道在想着什么。于是，她
bù yóu zì zhǔ de tíng zhù le jiǎo bù
不由自主地停住了脚步。

hài pà

害怕

*

qí shí nà liàng guāng shì zhèn shàng de dēng guāng fēi cháng míng liàng rén men diǎn zhe dēng jiù néng hé bái tiān yí yàng gàn huór chī fàn shuō xiào yì diǎnr yě bú shòu hēi yè de yǐng xiǎng

其实，那亮光是镇上的灯光，非常明亮。人们点着灯就能和白天一样干活儿、吃饭、说笑，一点儿也不受黑夜的影响。

rén lèi xǐ huan dēng guāng ér hú li mā ma què yǒu diǎnr hài pà

人类喜欢灯光，而狐狸妈妈却有点儿害怕。

zhè shì wèi shén me ne

这是为什么呢？

yīn wèi kàn dào dēng guāng huì shǐ tā bù yóu zì zhǔ de xiǎng qǐ nà jiàn hé péng you zài zhèn shàng yù dào de dǎo méi shìr

因为看到灯光，会使她不由自主地想起那件和朋友在镇上遇到的倒霉事儿。

dāng shí　hú li mā ma hé yí gè péng you yì qǐ qù zhèn shàng
当时，狐狸妈妈和一个朋友一起去镇上，
péng you yù jiàn le zì jǐ fēi cháng xǐ huan de yā zi　dàn shì méi yǒu
朋友遇见了自己非常喜欢的鸭子，但是没有
qián　jiù jué dìng qù tōu
钱，就决定去偷。

hú li mā ma yí zài quàn shuō péng you bú yào tōu dōng xi　dàn péng
狐狸妈妈一再劝说朋友不要偷东西，但朋
you bù tīng quàn gào　fēi yào tōu rén jiā de yā zi
友不听劝告，非要偷人家的鸭子。

jié guǒ bèi nà jiā rén fā xiàn　dài zhe qiāng zhuī le guò lái　tā
结果被那家人发现，带着枪追了过来，她
men hǎo bù róng yì cái táo chū lái
们好不容易才逃出来。

xiǎng dào zhèr　hú li mā ma yòu yǒu xiē dān yōu
想到这儿，狐狸妈妈又有些担忧。

mā ma　nǐ zhàn zhe gàn shén me ya　kuài diǎnr zǒu wa
“妈妈，你站着干什么呀？快点儿走哇。”

xiǎo hú li kě bù zhī dào mā ma zài dān xīn xiē shén me　zhǐ shì
小狐狸可不知道妈妈在担心些什么，只是
yí ge jìnr de cuī cù mā ma gǎn kuài zǒu
一个劲儿地催促妈妈赶快走。

hú li mā ma de jiǎo fǎng fú yǒu qiān jīn zhòng　zěn me yě bù gǎn
狐狸妈妈的脚仿佛有千斤重，怎么也不敢
wǎng qián zǒu le
往前走了。

tā xiǎng pò le nǎo dai　shǐ zhōng xiǎng bù chū yí gè mǎi shǒu tào
她想破了脑袋，始终想不出一个买手套
de hǎo bàn fǎ　yú shì jué dìng mào xiǎn ràng xiǎo hú li zì jǐ qù zhèn
的好办法，于是决定冒险让小狐狸自己去镇
shàng shì shi
上试试。

小狐狸变小宝宝

*

“宝宝，你伸出一只手来。”

小狐狸顺从地伸出一只手。

狐狸妈妈握住小狐狸的手小声地念着什么，不一会儿的工夫，那只毛茸茸的手就变成了一只可爱的人类小孩子的手。

小狐狸把那只手反复地伸展又握紧，还掐了掐、闻了闻，觉得十分新奇。

“妈妈，为什么把我的手变成了这样呀，这是什么呢？”

“这是一只人类小孩子的手，宝宝。”

小狐狸把那只变了模样的手举起来，又睁大眼睛仔细地端详着。

“镇上有很多商店，你要找到那种门牌上挂着黑色大礼帽招牌的商店。找到后先敲敲门，然后礼貌地说声‘晚上好’。你这样做了之后，会有人从里面把门打开一条缝，问你需要什么。你就把这只小孩子的手从门缝里伸进去，说‘请卖给我一副合适的手套’。明白了吗？”

狐狸妈妈继续耐心地嘱咐着小狐狸：“可千万不能把那只没有变过的手伸进去哇！”

zhuāng zuò shì rén
装作是人

*

wǒ wèi shén me yào zhè me zuò ne
“我为什么要这么做呢？”

xiǎo hú li shí fēn bù jiě
小狐狸十分不解。

guāi hái zi yīn wèi wǒ men shì hú li bú shì rén rén
“乖孩子，因为我们是狐狸，不是人。人

yào shi zhī dào le wǒ men de shēn fèn bú dàn bú huì mài gěi wǒ men shǒu
要是知道了我们的身份，不但不会卖给我们手

tào hái yào bǎ wǒ men zhuā qǐ lái guān jìn lóng zi lǐ ne rén na
套，还要把我们抓起来关进笼子里呢！人哪，

fēi cháng kě pà nǐ yí dìng yào xiǎo xīn yì diǎnr
非常可怕，你一定要小心一点儿！”

ǹg wǒ zhī dào le xiǎo hú li sì dǒng fēi dǒng de shuō
“嗯，我知道了。”小狐狸似懂非懂地说。

qiān wàn bù néng bǎ nà zhī shǒu shēn jìn qù yào shēn zhè zhī
“千万不能把那只手伸进去，要伸这只。”

hú li mā ma jǐn jǐn de niē le niē xiǎo hú li de shǒu sāi le
狐狸妈妈紧紧地捏了捏小狐狸的手，塞了

jǐ gè bái tóng qián gěi tā
几个白铜钱给他。

yìng zhe xuě guāng de yuán yě duō měi ya
映着雪光的原野多美呀！

bái máng máng yí piàn dào chù dōu shì xuě de shì jiè
白茫茫一片，到处都是雪的世界。

xiǎo hú li jǐn jǐn de wò zhe mā ma gěi de bái tóng qián yáo yáo
小狐狸紧紧地握着妈妈给的白铜钱，摇摇
bǎi bǎi de wǎng zhèn shàng zǒu
摆摆地往镇上走。

yí gè liǎng gè sān gè xiǎo hú li yuè wǎng qián zǒu
一个，两个，三个……小狐狸越往前走，
kàn dào de dēng jiù yuè duō xiàn zài yǐ jīng shì dì shí jǐ gè le
看到的灯就越多，现在已经是第十几个了。

dēng guāng zhēn měi ya xiàng bǎo shí shì de xiǎo hú li kàn
“灯光真美呀，像宝石似的。”小狐狸看
zhe dēng guāng xīn lǐ měi měi de xiǎng zhe
着灯光，心里美美地想着。

dà jiē shàng jiā jiā hù hù dōu guān zhe dà mén gāo gāo de diāo
大街上，家家户户都关着大门，高高的雕
huā chuāng zài mù qì huò fáng wū de gé shàn chuāng hu shàng diāo kè tú
花窗（在木器或房屋的隔扇、窗户上雕刻图
àn hé huā wén lǐ tòu chū róu hé de dēng guāng yìng de yíng bái de jī
案和花纹）里透出柔和的灯光，映得莹白的积
xuě shí fēn měi lì
雪十分美丽。

mén wài de zhāo pai shàng dà dōu liàng zhe xiǎo xiǎo de dēng pào yì
门外的招牌上，大都亮着小小的灯泡，一
shǎn yì shǎn de míng liàng jí le
闪一闪的，明亮极了。

zhǎo dào mào zi diàn

找到帽子店

*

zhè lǐ yǒu zì xíng chē zhāo pai yǎn jìng zhāo pai fú zhuāng zhāo pai děng zhè xiē zhāo pai yǒu de shì yòng xīn yóu qī xiě shàng qù de yǒu de xiàng jiù qiáng bì shì de yǐ jīng diào pí le

这里有自行车招牌、眼镜招牌、服装招牌等。这些招牌有的是用新油漆写上去的，有的像旧墙壁似的已经掉皮了。

xiǎo hú li dì yī cì dào zhèn shàng hái bù míng bai nà xiē zì dào dǐ shì shén me yì si zhǐ shì láo láo de jì zhe mā ma de huà zhuān xīn xún zhǎo mào zi diàn

小狐狸第一次到镇上，还不明白那些字到底是什么意思，只是牢牢地记着妈妈的话，专心寻找帽子店。

à zhōng yú zhǎo dào mào zi diàn le

啊，终于找到帽子店了！

zhè lǐ yǒu yí kuài dà dà de zhāo pai zài dēng guāng de zhào yào xià zhèng zhèng dāng dāng de guà zài mén qián shàng miàn huà zhe yì dǐng hēi sè de dà lǐ mào

这里有一块大大的招牌，在灯光的照耀下，正正当当地挂在门前，上面画着一顶黑色的大礼帽。

xiǎo hú li àn zhào mā ma de fēn fù dōng dōng dōng de qiāo le qiāo mén shuō wǎn shang hǎo

小狐狸按照妈妈的吩咐，“咚咚咚”地敲了敲门，说：“晚上好。”

mén lǐ xiǎng qǐ le yí gè dī chén de shēng yīn shuō jìn lái ba

门里响起了一个低沉的声音，说：“进来吧。”

xiǎo hú li gā zhī yì shēng tuī kāi le mén

小狐狸“嘎吱”一声，推开了门。

yí dào hūn huáng de dēng guāng chuān guò mén fèng yìng zài jiē dào de
一道昏黄的灯光穿过门缝，映在街道的

bái xuě shàng
白雪上。

xiǎo hú li de yǎn jing ràng dēng guāng yì huǎng yí xià zi huāng le
小狐狸的眼睛让灯光一晃，一下子慌了

qǐ lái
起来。

huāng luàn zhōng tā wàng jì le cóng mén fèng zhōng shēn shǒu ér shì zhí
慌乱中他忘记了从门缝中伸手，而是直

jiē zǒu jìn le diàn lǐ hái bǎ běn bù gāi shēn chū lái de nà zhī shǒu shēn
接走进了店里，还把本不该伸出来的那只手伸

le chū lái shuō qǐng mài gěi wǒ yí fù hé shì de shǒu tào ba
了出来，说："请卖给我一副合适的手套吧！"

à
"啊！"

mào zi diàn de lǎo bǎn kàn dào shì yì zhī xiǎo hú li
帽子店的老板看到是一只小狐狸

zǒu le jìn lái bù yóu de jiào chū le shēng
走了进来，不由得叫出了声。

mǎi dào le shǒu tào

买到了手套

*

tā xīn xiǎng hú li kěn dìng méi yǒu qián yí dìng yòu shì ná shù yè lái mǎi dōng xi le

他心想:“狐狸肯定没有钱，一定又是拿树叶来买东西了。”

yú shì tā shuō qǐng xiān jiāo qián

于是，他说:“请先交钱。”

xiǎo hú li tīng huà de ná chū le jǐ gè bái tóng qián bìng shēn chū hú li de shǒu jiāo gěi le mào zi diàn de zhǔ rén

小狐狸听话地拿出了几个白铜钱，并伸出狐狸的手交给了帽子店的主人。

diàn lǎo bǎn jiē guò lái xiān shì yòng shí zhǐ tán le tán rán hòu yòu yòng jǐ gè tóng qián hù xiāng qiāo qiao bái tóng qián pèng dào yì qǐ fā chū le hǎo tīng de dīng dīng dīng de shēng yīn

店老板接过来，先是用食指弹了弹，然后又用几个铜钱互相敲敲，白铜钱碰到一起发出了好听的“叮叮叮”的声音。

tā què dìng zhè shì zhēn zhèng de tóng qián hòu biàn cóng guì zi lǐ qǔ chū le xiǎo hái zi yòng de máo xiàn shǒu tào fàng dào le xiǎo hú li de shǒu lǐ

他确定这是真正的铜钱后，便从柜子里取出了小孩子用的毛线手套，放到了小狐狸的手里。

xiǎo hú li ná dào shǒu tào hòu lǐ mào de shuō le shēng xiè xie jiù lí kāi le mào zi diàn

小狐狸拿到手套后，礼貌地说了声“谢谢”，就离开了帽子店。

fēi bēn huí qù

飞奔回去

*

tā shùn zhe lái shí de lù wǎng huí zǒu yì biān zǒu yì biān xiǎng mā ma shuō rén shì kě pà de dòng wù kě jīn tiān de diàn zhǔ bìng bú shì zhè yàng de rén hǎo xiàng qí shí yì diǎnr yě bù kě pà ne

他顺着来时的路往回走，一边走一边想:“妈妈说人是可怕的动物，可今天的店主并不是这样的，人好像其实一点儿也不可怕呢。”

huí qù de lù shàng dēng guāng yuè lái yuè àn xiǎo hú li jiàn jiàn fàng màn le jiǎo bù

回去的路上，灯光越来越暗，小狐狸渐渐放慢了脚步。

dāng tā cóng yí shàn chuāng biān zǒu guò shí tīng dào yí gè wēn róu de shēng yīn zài shuō shuì ba shuì ba tǎng zài mā ma de huái lǐ shuì ba shuì ba zhěn zài mā ma de gē bo shàng

当他从一扇窗边走过时，听到一个温柔的声音在说:“睡吧，睡吧，躺在妈妈的怀里；睡吧，睡吧，枕在妈妈的胳膊上。”

zhè shì duō me cí xiáng rén cí hé shàn duō me róu hé duō me hǎo tīng de shēng yīn ya

这是多么慈祥（仁慈和善）、多么柔和、多么好听的声音呀!

xiǎo hú li xīn xiǎng zhè jù huà yí dìng shì yí gè wēn róu de mā ma shuō de

小狐狸心想:“这句话一定是一个温柔的妈妈说的。”

yīn wèi měi dāng xiǎo hú li kùn le xiǎng shuì jiào de shí hou hú li mā ma yě shì yòng zhè zhǒng cí xiáng de shēng yīn hǒng tā shuì jiào de

因为每当小狐狸困了想睡觉的时候，狐狸妈妈也是用这种慈祥的声音，哄他睡觉的。

jiē zhe tā yòu tīng dào yí gè xiǎo hái zi shuō mā ma zhè me lěng de wǎn shang sēn lín lǐ de xiǎo hú li lěng bù lěng a

接着他又听到一个小孩子说:“妈妈，这么冷的晚上，森林里的小狐狸冷不冷啊?”

nà ge mā ma shuō sēn lín lǐ de xiǎo hú li ya xiàn zài kěn dìng shì tīng zhe hú li mā ma de gē shēng yǐ jīng tián měi de rù shuì le

那个妈妈说:“森林里的小狐狸呀，现在肯定是听着狐狸妈妈的歌声，已经甜美地入睡了。”

tīng dào zhèr xiǎo hú li hū rán xiǎng qǐ mā ma lái mā ma xiàn zài yí dìng zhèng shēn cháng bó zi jiāo jí de děng zhe tā ne zhè yàng xiǎng zhe xiǎo hú li biàn fēi kuài de xiàng hú li dòng de fāng xiàng pǎo qù

听到这儿，小狐狸忽然想起妈妈来，妈妈现在一定正伸长脖子，焦急地等着他呢。这样想着，小狐狸便飞快地向狐狸洞的方向跑去。

gǎn miào huì
赶庙会

*

yì tiān wǎn shang, yǒu jǐ gè hái zi yì qǐ qù gǎn miào huì.
一天晚上，有几个孩子一起去赶庙会。

dà dà xiǎo xiǎo de jǐ gè hái zi, zài yuè guāng de zhào yào xià, tóu xià le hēi hēi cháng cháng de yǐng zi. tā men bèng bèng tiào tiào de zǒu zhe, fēi cháng kāi xīn!
大大小小的几个孩子，在月光的照耀下，投下了黑黑长长的影子。他们蹦蹦跳跳地走着，非常开心！

hái zi men kàn zhe dì shàng gè zì de shēn yǐng, xīn xiǎng: "wā, tóu hǎo dà, tuǐ hǎo duǎn na!"
孩子们看着地上各自的身影，心想：“哇，头好大，腿好短哪！”

yǒu de hái zi kàn zhe yǐng zi, jiù rěn bú zhù xiào le qǐ lái.
有的孩子看着影子，就忍不住笑了起来。

yǒu de hái zi jué de tài nán kàn, jiù pǎo le qǐ lái.
有的孩子觉得太难看，就跑了起来。

孩子们是从一个小山村出发，到半里路之外的镇子去赶庙会的。

上了山道，乘着春夜的微风，传来了一阵阵悠扬的笛声。

孩子们不由得加快了脚步。

这时，有一个孩子落在了后头。

“文六，快点儿！”其他孩子催促道。

即使在月光下，也可以看得出文六是个瘦瘦白白、大眼睛的乖孩子。

他使劲地追赶着大家，可还是有些慢。

“我穿的是妈妈的木屐（简称屐，是一种两齿木底鞋，走起路来吱吱作响）呀！”文六对大家说，他希望大家体谅一下。

可不是嘛，他的小脚上果真穿的是一双大人的木屐。

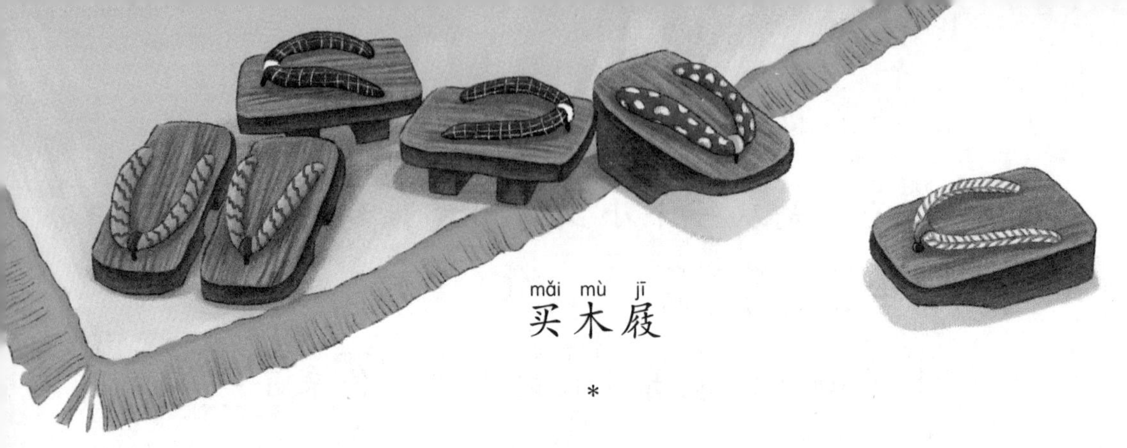

mǎi mù jī
买木屐

*

méi guò duō jiǔ jǐ gè hái zi jiù jìn le zhèn zi
没过多久，几个孩子就进了镇子。

tā men yào xiān qù mù jī diàn yīn wèi wén liù de mā ma ràng tā men gěi wén liù mǎi yì shuāng mù jī
他们要先去木屐店，因为文六的妈妈让他们给文六买一双木屐。

gāng jìn zhèn zi méi duō yuǎn jiù yǒu yì jiā mù jī diàn
刚进镇子没多远，就有一家木屐店。

yú shì hái zi men yì qǐ zǒu jìn le nà jiā diàn
于是，孩子们一起走进了那家店。

dà shěn yì zé juē zhe zuǐ duì mù jī diàn de lǎo bǎn niáng shuō zhè xiǎo zi shì mù tǒng diàn qīng liù jiā de xiǎo hái nín gěi tā ná yì shuāng mù jī ba huí tóu tā mā ma huì lái fù qián de
“大婶，”义则噘着嘴，对木屐店的老板娘说，“这小子是木桶店清六家的小孩，您给他拿一双木屐吧，回头他妈妈会来付钱的。”

wèi le ràng lǎo bǎn niáng kàn qīng chu dà jiā bǎ tā tuī dào le qián miàn
为了让老板娘看清楚，大家把他推到了前面。

nà hái zi bú shì bié rén zhèng shì wén liù
那孩子不是别人，正是文六。

wén liù zhàn zài zuì qián miàn zhǎ ba le liǎng xià yǎn jing yǒu diǎnr bù zhī suǒ cuò de yàng zi
文六站在最前面，眨巴了两下眼睛，有点儿不知所措的样子。

老板娘看了一眼，笑了笑，去货架上找了一双合适的木屐，拿过来给文六试穿。

“木屐一定要合脚才行。”

义则谨记着这句话，于是此刻的他就像是个父亲一样，亲自帮文六试起木屐来。

文六毕竟是个独苗（一家或一个家族唯一的后代），没有兄弟姐妹可以帮他。

被狐狸附体

*

恰好在文六试穿新木屐的时候，一位弯腰驼背的老奶奶走进了店里。

这位老奶奶看着正在试穿木屐的文六，随口说了一句：“哎呀呀，这是哪家的孩子呀，你们不知道吗？晚上买新木屐，是要被狐狸附体的！”

孩子们都吃惊地看着老奶奶，不太相信的样子。

“骗人，才不会有那种事儿呢。”义则马上回嘴说。

“迷信！”又一个孩子不相信地说。

虽然嘴上这么说，可孩子们的脸上却露出了一种不安的神色，似乎被吓到了。

这时，木屐店老板娘就说道：“好吧，如果

nǐ men pà de huà dà shěn jiù gěi
你们怕的话，大婶就给

nǐ men shī gè mó fǎ ba
你们施个魔法吧！”

lǎo bǎn niáng yòng shǒu zài kōng zhōng
老板娘用手在空中

bǐ hua le yí xià zuò le yí gè
比画了一下，做了一个

huá huǒ chái de shǒu shì hái zài wén liù de xīn mù jī hòu miàn qīng qīng de
划火柴的手势，还在文六的新木屐后面轻轻地

bǐ hua le yí xià
比画了一下。

hǎo le zhè xià bú pà le zhè yàng hú li lí zi
“好了，这下不怕了。这样，狐狸、狸子

jiù bú huì fù zài nǐ shēn shàng le
就不会附在你身上了。”

jiù zhè yàng hái zi men chū le mù jī diàn
就这样，孩子们出了木屐店。

恐怖的氛围

*

孩子们一边吃着棉花糖，一边观看小女童在舞台上耍扇子。

小女童脸上涂着浓艳的脂粉（胭脂和香粉），仔细看，才能看出来小女童原来是“多福汤”澡堂的都音子。

于是，孩子们就悄悄地耳语起来：“那个小女童原来是都音子啊，嘿嘿！”

耍扇子看腻了，孩子们又跑到黑暗的地方去放烟花和鞭炮了。

当木偶在花车上开始跳祝福舞的时候，神社里的人渐渐少了，放烟花的声音也小了。

孩子们在花车跟前站成一排，仰头看着木偶的脸。

木偶的脸看上去既不像大人，也不像小

hái　hēi yǒu yǒu de yǎn jing fēi cháng bī zhēn　hái bù tíng de zhǎ ba zhe
孩，黑黝黝的眼睛非常逼真，还不停地眨巴着。

nà shì yīn wèi shuǎ mù ǒu de rén zài hòu miàn bù tíng de lā zhe shéng zi
那是因为耍木偶的人在后面不停地拉着绳子。

jǐn guǎn hái zi men qīng chu de zhī dào nà shì jiǎ de　kě shì
尽管孩子们清楚地知道那是假的。可是

měi dāng mù ǒu zhǎ ba yǎn jing de shí hou　tā men hái shi huì gǎn jué
每当木偶眨巴眼睛的时候，他们还是会感觉

hěn kǒng bù
很恐怖。

xiǎng bú dào de shì　mù ǒu tū rán　pā　de zhāng kāi le
想不到的是，木偶突然“啪”地张开了

zuǐ　tǔ chū shé tou　zhuǎn yǎn zhī jiān　zuǐ yòu hé shàng le
嘴，吐出舌头；转眼之间，嘴又合上了。

hái zi men kàn jiàn mù ǒu de zuǐ lǐ shì xuè hóng xuè hóng de
孩子们看见木偶的嘴里是血红血红的。

往回走

*

孩子们知道，这也是因为耍木偶的人在后面拉绳子。

要是白天的话，孩子们看到这个，一定会被逗得哈哈大笑。

可是现在，孩子们却笑不出来。

在昏暗的光线下，木偶简直就像个真人似的，一会儿眨眼睛，一会儿吐舌头……那副模样太可怕了！

孩子们又想起了那个老奶奶说的话：“晚上买新木屐，是要被狐狸附体的！”

此时，孩子们发觉自己玩得太久，该回家了，回去还要赶半里路呢！

可是，回去的路上，孩子们却提不起精神来，大家都默默地走着，像是在琢磨（思

kǎo tàn jiū zhe shén me
考，探究）着什么

shì shì de
事似的。

zǒu dào bàn lù de shí
走到半路的时

hou yí gè hái zi còu dào le lìng
候，一个孩子凑到了另

yí gè hái zi de ěr biān qiāo qiāo
一个孩子的耳边，悄悄

de shuō le xiē shén me rán hòu
地说了些什么。然后，

tīng le qiāo qiāo huà de hái zi yòu pǎo dào
听了悄悄话的孩子又跑到

bié de hái zi shēn biān yě shuō le xiē
别的孩子身边，也说了些

shén me nà ge hái zi zài qù duì bié de
什么，那个孩子再去对别的

hái zi qiǎo shēng ěr yǔ jiù zhè yàng chú
孩子悄声耳语。就这样，除

le wén liù zhī wài yí duàn qiāo qiāo huà chuán
了文六之外，一段悄悄话传

jìn le suǒ yǒu hái zi de ěr duo lǐ
进了所有孩子的耳朵里。

tā men shuō de shì mù jī diàn lǎo bǎn
他们说的是：“木屐店老板

niáng méi yǒu zhēn de zài wén liù de mù jī shàng shī
娘没有真的在文六的木屐上施

mó fǎ zhǐ shì zhuāng le zhuāng yàng zi
魔法，只是装了装样子。”

ké sou
咳嗽

*

jiē zhe hái zi men yòu chén mò de zǒu le qǐ lái
接着，孩子们又沉默地走了起来。

ān jìng xià lái zhī hòu hái zi men yòu zài xiǎng bèi hú li fù
安静下来之后，孩子们又在想：“被狐狸附
tǐ shì zěn me yì huí shì ne hú li huì zuān jìn wén liù de shēn tǐ lǐ
体是怎么一回事呢？狐狸会钻进文六的身体里
ma wén liù zhēn de huì biàn chéng hú li ma nà wén liù shén me shí hou
吗？文六真的会变成狐狸吗？那文六什么时候
huì bèi hú li fù tǐ ne wén liù bù shuō méi yǒu rén zhī dào nà
会被狐狸附体呢？文六不说，没有人知道，那
tā shì bú shì yǐ jīng biàn chéng hú li le ne
他是不是已经变成狐狸了呢？”

yīn wèi tóng yàng shì zài yuè yè tóng yàng shì zài yě dì de shān lù
因为同样是在月夜，同样是在野地的山路
shàng suǒ yǐ cǐ kè dà jiā xiǎng de shì qing yě shì yí yàng de
上，所以此刻大家想的事情也是一样的。

yú shì hái zi men dōu bù yóu de jiā kuài le jiǎo bù
于是，孩子们都不由得加快了脚步。

zǒu zhe zǒu zhe bù zhī shì shuí tū rán xiǎo shēng ké sou le
走着走着，不知是谁，突然小声咳嗽了
yí xià
一下。

yīn wèi dà jiā dōu zài mò mò gǎn lù suǒ yǐ quán dōu tīng dào le
因为大家都在默默赶路，所以全都听到了
zhè xiǎo xiǎo de ké sou shēng
这小小的咳嗽声。

hái zi men rěn bú zhù kāi shǐ qiāo qiāo de wèn gāng cái shì shuí ké
孩子们忍不住开始悄悄地问刚才是谁咳

sou de
嗽的。

hěn kuài dà jiā jiù fā xiàn zhè ge rén shì wén liù
很快大家就发现这个人是文六。

shì wén liù ké sou le yì shēng
是文六咳嗽了一声！

cǐ shí hái zi men de nǎo dai lǐ luàn qī bā zāo xíng róng wú
此时，孩子们的脑袋里乱七八糟（形容无

zhì xù wú tiáo lǐ luàn de bù chéng yàng zi de zhè ké sou shēng
秩序、无条理，乱得不成样子）的：这咳嗽声

shì bú shì yǒu shén me tè shū de yì si zhè dào dǐ shì bú shì ké sou
是不是有什么特殊的意思？这到底是不是咳嗽

shēng ne xiàng shì hú li de jiào shēng ne
声呢？像是狐狸的叫声呢！

ke wén liù yòu ké sou le yì shēng
“咳！”文六又咳嗽了一声。

hái zi men jué de wén liù kěn dìng shì biàn chéng hú li le
孩子们觉得文六肯定是变成狐狸了。

dà jiā zhōng jiān yǒu yì zhī hú li hái zi men yuè xiǎng yuè hài pà
大家中间有一只狐狸，孩子们越想越害怕。

méi yǒu rén sòng wén liù

没有人送文六

*

wén liù jiā zhù zài lí dà huǒr shāo yuǎn de dì fang fáng zi zhōu wéi shì yí dà piàn jú zi yuán

文六家住在离大伙儿稍远的地方，房子周围是一大片橘子园。

guò qù hái zi men zǒng shì huì cóng shuǐ chē nà biān shāo shāo rào yí gè quān bǎ wén liù sòng dào jiā mén kǒu

过去，孩子们总是会从水车那边稍稍绕一个圈，把文六送到家门口。

yīn wèi wén liù shì mù tǒng diàn qīng liù de dú miáo cóng xiǎo jiāo shēng guàn yǎng cóng xiǎo jiù bèi nì ài jiāo guàn guàn le

因为文六是木桶店清六的独苗，从小娇生惯养（从小就被溺爱、娇惯）惯了。

ér qiě wén liù mā ma jīng cháng huì gěi tā men jú zi hé diǎn xin chī jiào tā men gēn wén liù yì qǐ wán

而且文六妈妈经常会给他们橘子和点心吃，叫他们跟文六一起玩。

jīn tiān wǎn shang qù gǎn miào huì de shí hou hái zi men yě shì dào jiā mén kǒu lái jiē wén liù de

今天晚上去赶庙会的时候，孩子们也是到家门口来接文六的。

大家终于走到了水车边上。走水车旁边的岔路，可以去到文六家。

可是今晚，大家都没提起送文六的事，像是把他忘了似的。

娇气包文六以为热心的义则一定会送他回家，他一边回头张望，一边消失在了水车的阴影中。

最后，没有一个人愿意跟文六一起走。

文六只好一个人走在那条窄窄的湿地小路上。

文六想，这里离自己家没多远了，即使一个人也不用害怕。

不过，平时总是有人送自己回家，然而今天晚上没有人送了，其实心里还是有一些担心的。

担心自己

*

文六虽然不是一个特别聪明的孩子，但是其实他什么都明白。

他知道大家交头接耳（形容两个人凑近低声交谈）说的是那个奶奶说的事，也知道是因为自己咳嗽了两声，才让他们害怕的。

去赶庙会的路上，大家还那么热心地照顾自己，可就因为晚上穿了一双新木屐可能会被狐狸附体，就再也没有人关心自己了，这让文六感到很伤心。

义则是一个要比文六高几个年级，并且热心肠的孩子，他经常照顾这几个比他小的孩子。

如果是平常，文六冷了，他就会脱下套在外面的褂子，给文六披上。

rán ér jīn tiān wǎn shang tā què méi yǒu zhè me zuò rèn píng wén
然而今天晚上，他却没有这么做，任凭文
liù zài páng biān zěn me ké sou yì zé dōu méi yǒu guān xīn tā yí xià
六在旁边怎么咳嗽，义则都没有关心他一下。

wén liù zǒu dào le yuàn zi mén kǒu tā dǎ kāi xiǎo mù mén yì
文六走到了院子门口，他打开小木门，一
biān wǎng lǐ zǒu yì biān kàn zhe zì jǐ xiǎo xiǎo de yǐng zi tū rán dān
边往里走，一边看着自己小小的影子，突然担
xīn qǐ lái
心起来。

wèn mā ma
问妈妈

*

wàn yī zì jǐ zhēn de bèi hú li fù tǐ le， bà ba mā ma huì
万一自己真的被狐狸附体了，爸爸妈妈会
bǎ zì jǐ zěn me yàng ne?
把自己怎么样呢?

jīn tiān wǎn shang， wén liù de bà ba chū mén le hái méi yǒu huí
今天晚上，文六的爸爸出门了还没有回
lái， suǒ yǐ tā jiù hé mā ma xiān tǎng xià le。
来，所以他就和妈妈先躺下了。

wén liù yǐ jīng shì xiǎo xué sān nián jí de xué shēng le， kě hái shi
文六已经是小学三年级的学生了，可还是
gēn mā ma yì qǐ shuì。
跟妈妈一起睡。

bì jìng shì dú miáo， zǒng yào duō xiǎng shòu xiē guān ài de。
毕竟是独苗，总要多享受些关爱的。

“lái， gēn mā ma shuō shuo miào huì shàng de shì。”
“来，跟妈妈说说庙会上的事。”

měi tiān shuì jiào zhī qián， wén liù dōu yào gēn mā ma liáo liao zì jǐ
每天睡觉之前，文六都要跟妈妈聊聊自己
bái tiān dōu gàn le xiē shén me， bǐ rú xué xiào lǐ fā shēng le nǎ xiē
白天都干了些什么，比如学校里发生了哪些

事情，在街上看到了什么有趣的、好玩的人或事，跟朋友玩了哪些游戏，等等。

虽然文六讲起来磕磕巴巴的，但是妈妈总是很开心地听文六讲这些事。

“在庙会上表演的那个小女童竟然是‘多福汤’澡堂的都音子！”文六跟妈妈说道。

“是嘛。”妈妈又笑着问道，“那后来还有谁登台表演了呢？”

文六想着想着，突然像是想到了点儿什么，就一动也不动，不再提起庙会的事情了，而是向妈妈问道：“妈妈，如果小孩子晚上穿了新木屐，就会被狐狸附体吗？”

妈妈听到了文六说的话，扭过头惊讶地看着他。

rú guǒ shì zhēn de huì zěn yàng ne
如果是真的，会怎样呢

*

tā zhōng yú zhī dào jīn tiān wǎn shang wén liù wèi shén me bú duì jìn le
她终于知道今天晚上文六为什么不对劲了。

zhè huà shì shuí shuō de
“这话是谁说的？”

wén liù méi yǒu huí dá zhè ge wèn tí fǎn ér chóng fù le yí biàn zì jǐ gāng cái de wèn huà shì zhēn de ma
文六没有回答这个问题，反而重复了一遍自己刚才的问话：“是真的吗？”

xiā shuō nǎ huì yǒu zhè zhǒng shìr
“瞎说，哪会有这种事儿。”

zhǐ shì xiā shuō ma
“只是瞎说吗？”

dāng rán shì xiā shuō le
“当然是瞎说了。”

bú shì zhēn de
“不是真的？”

bú shì zhēn de
“不是真的。”

wén liù chén mò le yí huìr rán hòu yòu shuō rú guǒ wǒ zhēn de bèi hú li fù tǐ le huì zěn me yàng ne
文六沉默了一会儿，然后又说：“如果我真的被狐狸附体了，会怎么样呢？”

mā ma tīng dào zhè ge huà rěn bú zhù xiào le qǐ lái
妈妈听到这个话，忍不住笑了起来。

shuō ya shuō ya shuō ya
“说呀，说呀，说呀！”

文六十分想知道答案。

“会怎样呢？”

妈妈想了一下，说：“那就不能继续生活在这个家里了。”

文六听了这话，脸色变得难看起来。

“那我去哪里呀？”

“去狐狸生活的地方呀！”

“那爸爸妈妈怎么办呢？”

妈妈十分认真地想了想，说：“如果可爱的文六变成了狐狸，那我们在这个世界上也就没有什么值得留恋（不忍舍弃或离开）的了，我们也不做人了，也改做狐狸。”

“啊？爸爸妈妈也要变成狐狸吗？”

一家人都变成狐狸

*

“是的，我们俩明天晚上也去木屐店买一双新木屐，一起变成狐狸，然后，带着文六小狐狸，去鸦根山生活。”

文六闪动着大眼睛问：“鸦根山在哪里？”

“鸦根山就是西南方向的那座山，是一个长着很多松树的地方。”

“那里有猎人（以打猎为生的人）吗？要是猎人猎杀狐狸，那可怎么办？”

“我们三个躲在深深的洞穴里，不出来就不会被发现了呀。”

“可要是到了冬天，下了雪没有吃的了，我们出来找食物的时候，还是被猎人发现了怎么办哪？”

“那我们就拼命地逃。”

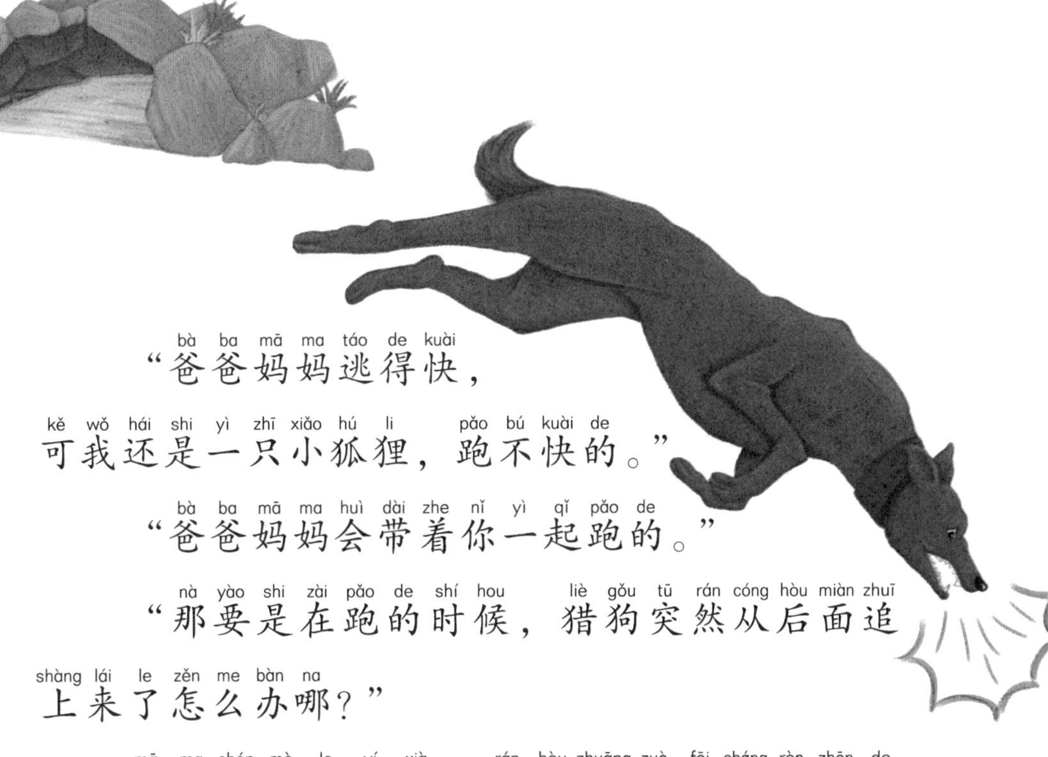

bà ba mā ma táo de kuài
“爸爸妈妈逃得快，

kě wǒ hái shi yì zhī xiǎo hú li pǎo bú kuài de
可我还是一只小狐狸，跑不快的。”

bà ba mā ma huì dài zhe nǐ yì qǐ pǎo de
“爸爸妈妈会带着你一起跑的。”

nà yào shi zài pǎo de shí hou liè gǒu tū rán cóng hòu miàn zhuī
“那要是在跑的时候，猎狗突然从后面追

shàng lái le zěn me bàn na
上来了怎么办哪？”

mā ma chén mò le yí xià rán hòu zhuāng zuò fēi cháng rèn zhēn de
妈妈沉默了一下，然后装作非常认真的

yàng zi shuō rú guǒ nà yàng mā ma jiù yì qué yì guǎi de màn
样子说：“如果那样，妈妈就一瘸一拐地慢

màn pǎo
慢跑。”

wéi shén me
“为什么？”

nà yàng liè gǒu jiù huì xiān pū shàng lái yǎo zhù mā ma rán hòu
“那样猎狗就会先扑上来咬住妈妈，然后

nǐ hé bà ba jiù kě yǐ táo zǒu le
你和爸爸就可以逃走了。”

不要变成狐狸

*

听到妈妈说的话，文六吃惊地看着妈妈，突然就不开心了。

“啊！我不要妈妈被抓走，那样我不就没有妈妈了吗？”

文六低下头，咬着手指想，如果妈妈真的被猎人抓走了该怎么办。

“可是只能这样啊，妈妈一瘸一拐地慢慢跑吸引猎狗的注意。”

妈妈还在认真地回答文六的问题。

“我说我不要那样，妈妈！那样我就没有妈妈了。”

文六看起来有点儿生气了。

“可是猎人来了，只能这么做呀，妈妈一瘸一拐地慢慢跑……”

“我不要，我不要，我就是不要！”

文六又吵又嚷地扑进了妈妈怀里，眼泪夺眶而出（眼泪一下子从眼眶中流出，形容人因极度悲伤或极度欢喜而落泪）。

“乖孩子，妈妈不会离开你的。”

妈妈摸了摸文六的头，又用睡衣袖子悄悄地擦了擦眼角。然后，把被文六踢开的小枕头，又枕到了他的头下。

这样的一个夜晚，母子俩终于入睡了。

qián fāng
钱 坊

chuī kǒu shào
吹口哨

*

yí gè xià tiān de wǎn shang
一个夏天的晚上。

tǎn jí hé gē ge zhàn zài hǎi biān zài xī yáng de yú huī bàng wǎn de yáng guāng xià chuī zhe kǒu shào
坦吉和哥哥站在海边，在夕阳的余晖（傍晚的阳光）下吹着口哨。

zhè ge shǔ jià tǎn jí hé gē ge lái dào le hǎi biān de shū shu jiā bì shǔ
这个暑假，坦吉和哥哥来到了海边的叔叔家避暑。

gē ge chuī kǒu shào chuī de fēi cháng hǎo
哥哥吹口哨吹得非常好。

kě shì wú lùn tǎn jí zěn yàng cháng shì jiù shì chuī bù xiǎng
可是无论坦吉怎样尝试，就是吹不响。

tǎn jí zhǐ néng mò mò de tīng zhe gē ge chuī xiàn zài gē ge chuī de shì yì shǒu jūn jiàn jìn xíng qǔ
坦吉只能默默地听着哥哥吹，现在哥哥吹的是一首军舰进行曲。

gē ge yì biān chuī zhe kǒu shào yì biān yòng jiǎo jiān dā dā
哥哥一边吹着口哨，一边用脚尖“嗒嗒”
de tà zhe jié pāi tǎn jí xiàn mù jí le
地踏着节拍，坦吉羡慕极了。

ā tǎn nǐ yě chuī chui kàn ya chuī wán le jūn jiàn
“阿坦，你也吹吹看呀！”吹完了《军舰
jìn xíng qǔ gē ge duì tā shuō
进行曲》，哥哥对他说。

tǎn jí yòu xiàng gāng cái yí yàng qiào qǐ zuǐ ba shǐ jìn de chuī le
坦吉又像刚才一样翘起嘴巴使劲地吹了
chuī kě hái shi chuī bù xiǎng
吹，可还是吹不响。

bié shuō yì shǒu wán zhěng de qǔ zi le lián gè dū de xiǎng
别说一首完整的曲子了，连个“嘟”的响
shēng yě méi yǒu chuī chū lái
声也没有吹出来。

tǎn jí de liǎn zhǎng de tōng hóng dàn hái shi jì xù liàn zhe
坦吉的脸涨得通红，但还是继续练着。

nǎ yǒu xiàng nǐ nà me chuī kǒu shào de ya
“哪有像你那么吹口哨的呀……”

gē ge kàn dào tǎn jí zhè yàng hā hā dà xiào qǐ lái
哥哥看到坦吉这样，哈哈大笑起来。

bú guò zuì hòu tǎn jí hái shi chuī chū le yì diǎnr dū
不过，最后，坦吉还是吹出了一点儿“嘟
dū de xiǎng shēng
嘟”的响声。

gē ge wǒ chuī xiǎng le ba
“哥哥，我吹响了吧……”

fā xiàn le yì zhī xiǎo gǒu
发现了一只小狗

*

tǎn jí yí jù huà hái méi shuō wán jiù gǎn jué zì jǐ de jiǎo xiàng shì bèi shén me dōng xi bàn le yí xià
坦吉一句话还没说完，就感觉自己的脚像是被什么东西绊了一下。

tā hé gē ge dōu gǎn jué dào le xià le yí tiào liǎng rén dī tóu yí kàn yuán lái shì yì zhī xiǎo gǒu
他和哥哥都感觉到了，吓了一跳，两人低头一看，原来是一只小狗。

dàn shì zhè zhī xiǎo gǒu kàn shàng qù bú shì hěn hǎo tā de yì zhī yǎn jing míng xiǎn yǐ jīng xiā le ér qiě tā de tóu dǐng shàng yǒu hěn dà yí kuài hēi bān suī rán néng kàn chū lái zhè zhī gǒu yuán běn de máo sè shì huáng sè dàn shì tā hǎo xiàng diào jìn guo zāng shuǐ gōu hún shēn de máo dōu biàn chéng le huī sè hái dài zhe diǎnr chòu chòu de wèi dào
但是这只小狗看上去不是很好，它的一只眼睛明显已经瞎了，而且它的头顶上有很大一块黑斑。虽然能看出来这只狗原本的毛色是黄色，但是它好像掉进过脏水沟，浑身的毛都变成了灰色，还带着点儿臭臭的味道。

tā yǎng tóu wàng zhe tǎn jí bú zhù de yáo zhe wěi ba
它仰头望着坦吉，不住地摇着尾巴。

gē ge hǎo kě lián de yì zhī gǒu wa
“哥哥，好可怜的一只狗哇！”

ǹg
“嗯。”

gē ge wàng zhe zhè zhī shòu gǔ lín xún xíng róng rén huò dòng wù shòu
哥哥望着这只瘦骨嶙峋（形容人或动物瘦

de xiàng pí bāo gǔ tou yí yàng yòu yǒu diǎnr zāng xī xī de xiǎo gǒu
得像皮包骨头一样）又有点儿脏兮兮的小狗。

gē ge yào bù zán men bǎ tā dài huí qù ba
“哥哥，要不咱们把它带回去吧。”

tǎn jí hé gē ge shāngliang zhe xiǎng dài huí qù zì jǐ zhào gù tā
坦吉和哥哥商量着，想带回去自己照顾它。

ǹg hǎo de
“嗯，好的。”

gē ge háo bù yóu yù de dā ying le tā yě xiǎng bǎ tā dài huí qù
哥哥毫不犹豫地答应了，他也想把它带回去。

bù yí huìr liǎng gè rén jiù dài zhe xiā le yì zhī yǎn de xiǎo gǒu fǎn chéng le
不一会儿，两个人就带着瞎了一只眼的小狗返程了。

huí qù de lù shàng xī yáng réng rán xiàng huǒ yí yàng hóng tóng tóng de rán shāo zhe
回去的路上，夕阳仍然像火一样红彤彤地燃烧着。

bǎ gǒu dài huí le jiā

把狗带回了家

*

dà yuē guò le yí gè xīng qī
大约过了一个星期。

tǎn jí yě xué huì chuī yì diǎnr kǒu shào le
坦吉也学会吹一点儿口哨了。

tā hé gē ge zài hǎi biān jiǎn dào de nà zhī gǒu bèi tā men xǐ de gān gān jìng jìng de xiàn zài yǐ jīng chéng le tǎn jí de hǎo péng you
他和哥哥在海边捡到的那只狗被他们洗得干干净净的，现在已经成了坦吉的好朋友。

gē ge gěi nà zhī xiǎo gǒu qǐ le gè míng zi jiào máng liú
哥哥给那只小狗起了个名字，叫“盲流”。

bú guò tǎn jí què gěi tā qǐ le yí gè xiàng hǎo péng you yí yàng de míng zi jiào qián fāng shì yīn wèi tā tóu shàng de nà kuài hēi bān yǒu tóng qián nà me dà
不过，坦吉却给它起了一个像好朋友一样的名字，叫“钱坊”，是因为它头上的那块黑斑有铜钱那么大。

tǎn jí hěn téng ài tā lián wǎn shang shuì jiào yě yào gēn tā yì qǐ
坦吉很疼爱它，连晚上睡觉也要跟它一起。

kě shì tū rán yǒu yì tiān yīn wèi yì diǎnr xiǎo shì qián fāng rě shū shu shēng qì le
可是，突然有一天，因为一点儿小事，钱坊惹叔叔生气了。

qí shí tǎn jí jué de shì yīn wèi shū shu píng shí jiù bù xǐ huan gǒu suǒ yǐ tā cái xiǎng chèn jī bǎ qián fāng gǎn zǒu
其实坦吉觉得，是因为叔叔平时就不喜欢狗，所以他才想趁机把钱坊赶走。

“叔叔，您就原谅它吧，钱坊什么也不懂，所以它才会不小心……”

坦吉一遍又一遍地向叔叔道歉。

哥哥和婶婶也都为钱坊说情，可是叔叔很固执（坚持己见，不肯改变），说什么也不听。

其实叔叔不是那么无情的人，只是因为他不喜欢狗，所以才这么狠心的。

转眼暑假就只剩下一个星期了，要是再晚一个星期就好了，那样坦吉就可以把它带回自己家去了。

被送走

*

但是，钱坊最终还是要被送走了。

叔叔公司里有一位叫泽田的同事，平时喜欢打猎，说是可以收留钱坊，于是叔叔就决定把钱坊送给他。

第二天，那个叫泽田的人来了。

“就是这只狗。”叔叔指了指没精打采（形容精神不振，提不起劲头）地躲在角落里的钱坊。

“挺不错的狗嘛，尽管有一只眼睛瞎了，但还是可以带出去打猎的。”

那个人用手捋了一下他鼻子下面的那几根胡子。

坦吉听到了两个人的对话，他知道没

有留下钱坊的希望了，钱坊要被带走了。

“那我就把它带走了，谢谢你们了。”

泽田把绳子系在钱坊的脖子上，拉着它走了。

坦吉一直送他们到门口。

“叔叔，您一定要好好照顾钱坊啊……”坦吉眼泪汪汪地望着泽田叔叔说。

“嗯，我会的。小家伙，你要是想它的话，可以经常来找我玩。”泽田叔叔看上去还是挺亲切的，随后他带走了钱坊，与坦吉道了别。

告　别

*

平日里，一见到坦吉就会使劲儿摇尾巴的钱坊，耷拉着尾巴，被牵走了。

“嘟——”坦吉**情不自禁**（感情激动得不能控制，强调完全被某种感情所支配）地对着离去的钱坊吹了一声口哨。

钱坊回过头来看了一眼坦吉，想跑回这边来，可是它被绳子牵着，不得不继续向前走。

最后，钱坊终于消失在松林里了。

“呜呜呜……”坦吉哭着跑进了屋里。

冬天到了，寒冷的北风“呼呼”地刮着，把道路两旁的树木都刮秃了。

坦吉从二楼的窗口向外望，呆呆地看着这灰色的天空。

这么冷的天，钱坊会在哪里呢？它在干什

么呢……

他的脑海里，浮现出钱坊睡在自己脚边的情景。

有时，他的脑海里还会出现可怜的钱坊顶着寒风、到处找食吃的悲惨样子。

但是他又觉得泽田叔叔是个好人，不会这样做的。

这样一想，钱坊可怜的样子就从脑海里消失了。

再见

*

有一天，坦吉在窗台上突然看到楼下的马路上出现了一只小狗。

“啊，是钱坊！”坦吉认出了那只小狗。

一只瘦骨嶙峋的狗，在风的推动下前进着，像个没有家的孩子，沿着笔直的马路，慢慢地走了过来……那的确是钱坊，瞎了一只眼的钱坊。

“钱坊！”坦吉打开窗户叫了一声。

钱坊站住了，然后，抬起了头。

可是，那已经不是熟悉的钱坊了，因为它的两只眼睛都瞎了，只有那条长长的尾巴还在不停地摇摆着。

“钱坊，我这就来，等着我呀！”

坦吉飞速地冲下楼，跑到了外面的马路上。

然而……

当坦吉赶到外面的时候，那只小狗已经像风一般地消失了。

坦吉一边吹着口哨，一边仔细地把周围找了个遍。

可是，最终还是没有找到钱坊。

钱坊又成了一只流浪狗，这次不知它是否能幸运地找到可以好好照顾它的主人。

小太郎的悲哀

抓住锹甲

*

有一只大虫子一直“嗡嗡”地在花田里飞来飞去，而且还努力地想飞向空中。

也许是身子太重了，它飞得很慢。

当飞到离地面有一米左右距离的时候，它突然开始横着飞。

可能还是身子太重，它只能慢慢地向前飞。

一直在旁边观看的小太郎从走廊上跳下来，光着脚，拎着筛子追了上去。

小太郎追过马棚拐角，又从花田追到麦

田，在草堤上，总算把虫子扣住了。

他用手抓起来一看，原来是一只锹甲（是多种甲虫的统称，不同种的角上有更细的分支和齿，角长和体长相当）。

“哦！我抓住大锹甲了！”小太郎欢快地叫着。

可是没有人理他，因为小太郎孤单一人，没有兄弟姐妹。

小太郎又回到了走廊上，然后，他把锹甲拿给奶奶看。

“奶奶，我抓到了一只大锹甲。”

正在走廊上打瞌睡的奶奶，睁开眼看了看锹甲，说了一句“是只螃蟹呀”，就又闭上了眼睛。

小太郎噘着嘴说：“才不是呢，是大锹甲。”

寻找更有趣的玩法

*

其实，锹甲也好，螃蟹也罢，对于奶奶来说，并没什么差别，只不过是个小玩物而已。她只是“嗯啊嗯啊”地回答了几声，就再也没有睁开过眼睛。

小太郎也就没有再打扰奶奶。

他从奶奶腿上放着的线轴上抽走了一条线，拴在锹甲的后腿上，这样可以让它在走廊的地板上爬，又不用担心它会逃走。

锹甲像头老牛似的，摇摇晃晃地来回走着。

因为小太郎抓着线，所以锹甲无法继续往前走，只能“咯吱咯吱”地挠着地板，原地蹦跶。

就这样玩了一会儿，小太郎觉得无聊了，

cái tíng xià lái
才停下来。

qiāo jiǎ yí dìng hái yǒu gèng yǒu qù de wán fǎ yí dìng yǒu rén
“锹甲一定还有更有趣的玩法，一定有人

zhī dào qí tā wán fǎ de
知道其它玩法的。”

xiǎo tài láng jué de zhè yàng tài fá wèi le tā hái xiǎng gèng yǒu qù
小太郎觉得这样太乏味了，他还想更有趣

de wán qiāo jiǎ
地玩锹甲。

yú shì xiǎo tài láng suí shǒu ná le yì dǐng mào zi bǎ mào zi
于是，小太郎随手拿了一顶帽子，把帽子

kòu zài zì jǐ de dà nǎo dai shàng līn zhe bèi xiàn bǎng zhe de qiāo jiǎ
扣在自己的大脑袋上，拎着被线绑着的锹甲，

zǒu chū le jiā mén
走出了家门。

找金平

*

中午，周围十分安静，不知从什么地方传来一阵敲打席子的声音。

小太郎首先去了离自己家最近的桑田中的金平家。

金平家养了两只火鸡，他家经常把这两只火鸡放在院子里。

但小太郎特别害怕火鸡，也不敢到院子里去，于是他就爬到树篱笆附近，一边朝里面张望，一边轻声叫着：“金平！金平！”

他只想让金平听到，不想让火鸡听到。但是叫了半天，也听不到金平的回应，小太郎只好一遍又一遍地叫着金平。

等了半天，里面终于有回应了。

“找金平吗？”是金平爸爸带着睡意的声音，“金平昨天晚上肚子疼，还没起来呢。今天不能跟你一起玩了。”

“好吧，谢谢叔叔。”小太郎小声地回答了一声，就离开了。

金平不能跟他玩了，他有点儿小小的失望（因希望不能实现而失去信心或感觉不快活）。

不过，他又一想，等明天金平肚子不疼了再玩也行啊。

找恭一

*

接着，小太郎又决定去找比自己大一岁的恭一玩。

恭一家是小户农家，他家周围有很多树，而且恭一很会爬树，经常爬到那些树上。

从树下面经过时，一不留神，你就可能会被他丢一个山茶果子，吓你一跳。

不爬树的时候，恭一也常常会躲在什么东西的后面，“哇”地大喊一声，吓唬别人。

因此，小太郎一走到恭一家附近，就小心翼翼的，左右留神。

然而今天，恭一既不在树上，也没有突然出来“哇”地吓他一跳。

“恭一呀，”恭一妈妈看见小太郎来找恭一，就说，“因为家里有点儿事，昨天把他送到

sān hé de qīn qi jiā le
三河的亲戚家了。”

á zhè shì zěn me huí shì ya gōng yī yě bú zài jiā
“啊？”这是怎么回事呀！恭一也不在家。

nà tā yǐ hòu bù huí lái le ma
“那他以后不回来了吗？”

hái huì huí lái de
“还会回来的。”

shén me shí hou
“什么时候？”

yú lán pén jié měi féng nóng lì qī yuè shí wǔ rì zhōng yuán jié zōng jiào jiào tú wèi chāo dù zǔ xiān wáng líng suǒ jǔ xíng de yí shì huò shì guò nián ba
“盂兰盆节（每逢农历七月十五日中元节，宗教教徒为超度祖先亡灵所举行的仪式）或是过年吧。”

tīng dào gōng yī mā ma de huí dá xiǎo tài láng méi yǒu sàng shī xī wàng yú lán pén jié hái kě yǐ hé gōng yī yì qǐ wán guò nián yě kě yǐ
听到恭一妈妈的回答，小太郎没有丧失希望，盂兰盆节还可以和恭一一起玩，过年也可以。

qù xiū chē pù
去修车铺

*

xiǎo tài láng yòu līn zhe qiāo jiǎ, cháo dà jiē shàng zǒu qù。
小太郎又拎着锹甲，朝大街上走去。

dà jiē shàng yǒu yì jiā xiū chē pù。
大街上有一家修车铺。

nà jiā xiū chē pù zhǔ rén de ér zi ān xióng, yǐ jīng shì shàng bǔ xí xué xiào de dà rén le。bù guò, tā yì zhí shì xiǎo tài láng tā men de hǎo péng you, wú lùn shén me yóu xì, tā zǒng shì hé tā men yì qǐ wán。
那家修车铺主人的儿子安雄，已经是上补习学校的大人了。不过，他一直是小太郎他们的好朋友，无论什么游戏，他总是和他们一起玩。

ān xióng yě tè bié shòu xiǎo péng you men de huān yíng, yīn wèi bù guǎn shén me xíng zhuàng de yè zi, zhǐ yào bèi ān xióng ná zài shǒu lǐ yì juǎn, rán hòu fàng zài zuǐ biān yì chuī, jiù huì fā chū hǎo tīng de xiǎng shēng。
安雄也特别受小朋友们的欢迎，因为不管什么形状的叶子，只要被安雄拿在手里一卷，然后放在嘴边一吹，就会发出好听的响声。

hái yǒu, bù guǎn duō me méi yòng de dōng xi, zhǐ yào ān xióng shāo wēi yì bǎi nòng, jiù kě yǐ biàn chéng hěn hǎo wán de wán jù。
还有，不管多么没用的东西，只要安雄稍微一摆弄，就可以变成很好玩的玩具。

kuài dào xiū chē pù le, xiǎo tài láng yǒu diǎnr qī dài, tā bù zhī dào qiāo jiǎ dào le ān xióng shǒu lǐ, ān xióng huì xiǎng chū shén me hǎo wán de diǎn zi lái。
快到修车铺了，小太郎有点儿期待，他不知道锹甲到了安雄手里，安雄会想出什么好玩的点子来。

xiǎo tài láng bǎ xià ba dā zài chuāng gé zi shàng cháo xiū chē pù lǐ
小太郎把下巴搭在窗格子上，朝修车铺里

miàn wàng qù
面望去。

ān xióng zài lǐ miàn ne zhèng hé tā bà ba liǎng gè rén zài lǐ miàn
安雄在里面呢，正和他爸爸两个人在里面

yòng mó shí mó bào zi rèn ne
用磨石磨刨子刃呢。

zǐ xì yí kàn ān xióng jīn tiān chuān shàng le gōng zuò fú hái
仔细一看，安雄今天穿上了工作服，还

zā zhe yì tiáo wéi qún
扎着一条围裙。

wǒ bú shì gào su guo nǐ zěn me yòng le ma zěn me jì bú
“我不是告诉过你怎么用了吗？怎么记不

zhù wa zhēn bèn
住哇，真笨！”

ān xióng bà ba fā zhe láo sāo fán mèn bù mǎn de qíng
安雄爸爸发着牢骚（烦闷不满的情

xù xùn chì zhe ān xióng
绪），训斥着安雄。

zhǐ jiàn ān xióng mǎn liǎn tōng hóng mái tóu kǔ gàn
只见安雄满脸通红，埋头苦干。

kàn yàng zi bù guǎn xiǎo tài láng děng duō
看样子，不管小太郎等多

jiǔ ān xióng yě bú huì cháo tā zhè biān
久，安雄也不会朝他这边

kàn yì yǎn de
看一眼的。

bú zài shì xiǎo hái zi
不再是小孩子

*

xiǎo tài láng děng le yí duàn shí jiān shǐ zhōng bú jiàn ān xióng huí tóu
小太郎等了一段时间，始终不见安雄回头
kàn tā
看他。

tā zhōng yú rěn bú zhù le xiǎo shēng de jiào le liǎng shēng ān
他终于忍不住了，小声地叫了两声：“安
xióng gē ān xióng gē tā zhǐ xiǎng ràng ān xióng tīng dào què yòu bù
雄哥！安雄哥！”他只想让安雄听到，却又不
xī wàng dǎ rǎo dào tā men
希望打扰到他们。

rán ér lí de zhè me jìn zěn me kě néng tīng bú dào xiǎo tài
然而，离得这么近，怎么可能听不到小太
láng jiào tā ne
郎叫他呢？

píng shí ān xióng bà ba huì hěn hé qì de yǔ hái zi men dā
平时，安雄爸爸会很和气地与孩子们搭
huà kě shì jīn tiān bù zhī wèi shén me hǎo xiàng shēng qì le yì biān
话，可是今天不知为什么好像生气了，一边
bù tíng de chōu dòng zhe liǎng tiáo cū méi mao yì biān lěng lěng de shuō wǒ
不停地抽动着两条粗眉毛，一边冷冷地说：“我
men jiā ān xióng cóng jīn tiān qǐ jiù shì dà rén le bù néng zài gēn nǐ men
们家安雄从今天起就是大人了，不能再跟你们

zhè xiē xiǎo hái zi yì qǐ wán le xiǎo hái zi hái shi qù zhǎo xiǎo hái zi
这些小孩子一起玩了。小孩子还是去找小孩子
wán ba
玩吧！”

tīng dào bà ba shuō de zhè xiē huà ān xióng cháo xiǎo tài láng zhè biān
听到爸爸说的这些话，安雄朝小太郎这边
kàn le kàn wú nài de xiào le yí xià rán hòu jiù lì kè niǔ huí tóu
看了看，无奈地笑了一下，然后就立刻扭回头
quán shén guàn zhù quán bù jīng shén jí zhōng zài yì diǎn shàng xíng róng zhù yì
全神贯注（全部精神集中在一点上，形容注意
lì gāo dù jí zhōng de gàn qǐ le shǒu shàng de huór méi yǒu zài dā
力高度集中）地干起了手上的活儿，没有再搭
li xiǎo tài láng
理小太郎。

xiǎo tài láng xiàn zài jiù hǎo xiàng chóng zi cóng shù zhī shàng diào xià lái yí
小太郎现在就好像虫子从树枝上掉下来一
yàng xīn qíng yě dī luò le xià lái
样，心情也低落了下来。

tā chuí tóu sàng qì de lí kāi le chuāng gé zi rán hòu huī liū liū
他垂头丧气地离开了窗格子，然后灰溜溜
de zǒu le
地走了。

dà rén yǔ xiǎo hái zi de jù lí

大人与小孩子的距离

*

xiǎo tài láng xīn lǐ yǒng qǐ yí zhèn mò míng de shāng gǎn
小太郎心里涌起一阵莫名的伤感。

hǎo xiàng ān xióng zài yě bú huì huí dào xiǎo tài láng de shēn biān lái
好像安雄再也不会回到小太郎的身边来
le yě bù néng zài yì qǐ wán shuǎ le
了，也不能在一起玩耍了。

rú guǒ shì dù zi téng míng tiān kě néng jiù huì hǎo jí shǐ shì
如果是肚子疼，明天可能就会好；即使是
bèi sòng dào le sān hé guò duàn shí jiān yě hái huì huí lái
被送到了三河，过段时间也还会回来。

dàn shì yí dàn jìn rù le dà rén shì jiè jiù zài yě bú huì
但是，一旦进入了大人世界，就再也不会
huí dào nà ge chún zhēn wú xié de ér tóng shì jiè lǐ lái le
回到那个纯真无邪的儿童世界里来了。

qí shí ān xióng bìng méi yǒu zǒu yuǎn tā yī rán hé zì jǐ zài
其实，安雄并没有走远，他依然和自己在
tóng yí gè cūn zi lǐ jiù zài shēn biān dàn shì cóng xiàn zài qǐ
同一个村子里，就在身边。但是，从现在起，
ān xióng hé xiǎo tài láng jiāng shēng huó zài liǎng gè bù tóng de shì jiè lǐ
安雄和小太郎将生活在两个不同的世界里。

ài běn lái shì xiǎng wán de gèng yǒu qù yì diǎnr de
“唉，本来是想玩得更有趣一点儿的！”

dàn shì xiàn zài yǐ jīng chè dǐ méi yǒu xī wàng le xiǎo tài láng cǐ
但是现在已经彻底没有希望了，小太郎此
kè de xīn lǐ zhǐ yǒu yì gǔ nóng nóng de shāng gǎn
刻的心里只有一股浓浓的伤感。

yǒu xiē shāng gǎn kě yǐ xuǎn zé kū yi kū kū yi kū jiù kě yǐ
有些伤感可以选择哭一哭，哭一哭就可以
guò qù
过去。

dàn shì yǒu xiē shāng gǎn què yì diǎnr bàn fǎ dōu méi yǒu wú
但是有些伤感，却一点儿办法都没有。无
lùn zěn yàng dōu wú fǎ xiāo mó diào
论怎样，都无法消磨掉。

xiǎo tài láng zhòu zhe méi tou rú tóng zài guān kàn piào liang de jǐng sè
小太郎皱着眉头，如同在观看漂亮的景色
yí yàng zuò zài nà lǐ níng shì zhuān zhù de kàn zhe shān biān nà
一样，坐在那里凝视（专注地看）着山边那
duǒ fàn zhe xiá guāng de yún cai lián qiāo jiǎ cóng shǒu shàng liū
朵泛着霞光的云彩，连锹甲从手上溜
diào le tā dōu méi yǒu fā jué
掉了，他都没有发觉……

jué dòu

决斗

xiě zuò wén

写作文

*

hēi bǎn shàng xiě zhe yí gè dà dà de "gǒu" zì, zhè cì lǎo shī liú le yì piān zuò wén, shì guān yú xiǎo gǒu de。

黑板上写着一个大大的“狗”字，这次老师留了一篇作文，是关于小狗的。

lǎo shī yí huìr zuǒ kàn kan, yí huìr yòu kàn kan, ǒu ěr yě huì zǒu xià jiǎng tái, lái huí zhuàn you, kàn kan dà jiā xiě de zěn me yàng le。

老师一会儿左看看，一会儿右看看，偶尔也会走下讲台，来回转悠，看看大家写得怎么样了。

tóng xué men dōu zài kāi dòng nǎo jīn, xiě zhe yǒu guān gǒu de zuò wén。

同学们都在开动脑筋，写着有关狗的作文。

yǒu de tóng xué xiě zì jǐ jiā yǎng de gǒu, yǒu de xiě zài lù biān liú làng de yě gǒu, hái yǒu de xiě bù zhī shén me shí hou bèi gǒu zhuī zhe

有的同学写自己家养的狗，有的写在路边流浪的野狗，还有的写不知什么时候被狗追着

pǎo de qù shì
跑的趣事。

dà jiā xiě de dōu bù yí yàng dàn shì dōu hěn rèn zhēn de zài sī kǎo
大家写得都不一样，但是都很认真地在思考。

jiǔ diàn lǎo bǎn de ér zi cì láng zuò zài dì yī pái tā shǒu lǐ
酒店老板的儿子次郎坐在第一排，他手里
wò zhe qiān bǐ zhèng zài kēng chi kēng chi de xiě zhe
握着铅笔正在“吭哧吭哧”地写着。

lǎo shī bù zhǐ yí cì de tí xǐng dà jiā zì jì yào gōng zhěng
老师不止一次地提醒大家字迹要工整
xì zhì zhěng qí bù liáo cǎo suī rán cì láng xiě de hěn rèn
（细致整齐，不潦草），虽然次郎写得很认
zhēn kě shì zì jì què luàn qī bā zāo de suī rán xiàng pí jiù zài
真，可是字迹却乱七八糟的。虽然橡皮就在
běn zi qián miàn yì tái shǒu jiù néng ná dào kě shì měi cì xiě cuò
本子前面，一抬手就能拿到，可是每次写错
le tā dōu yòng shǒu zhǐ zhàn zhe tuò mo cā tā jué de yòng xiàng pí
了，他都用手指蘸着唾沫擦，他觉得用橡皮
cā tài má fán le
擦太麻烦了！

yào shi wèn wèi shén me de huà nà shì yīn wèi
要是问为什么的话，那是因为
cì láng shì zài xiě shì jiè shàng zì jǐ zuì xǐ
次郎是在写世界上自己最喜
huan de xī xiāng lóng shèng ne tā
欢的“西乡隆盛”呢，他
xiǎng xiě kuài yì diǎnr
想写快一点儿。

“西乡隆盛”

*

“西乡隆盛”是指什么著名人物吗？其实不是的。

如果看看次郎的作文的话，你就知道了。

“我家有只小狗，名叫‘西乡隆盛’，是爸爸以前从朋友家要来的。

“爸爸朋友家的狗生了六只小狗崽，这六只小狗崽分别用著名人物的名字来命名：丰臣秀吉、拿破仑、幡随院长兵卫、东乡大将、猿飞佐助，还有西乡隆盛。

“爸爸领回来的小狗正是‘西乡隆盛’。

“‘西乡隆盛’在我们家最喜欢我了，只要我一喊‘西乡隆盛’，它就会颠儿颠儿地跑过来。

“我一扔球，它就会快速跑过去把球捡回来，而且总是轻轻地叼着，绝不会把球咬破。扔手套，它也会去捡回来。不管什么东西，它都不会故意去破坏。

“而且‘西乡隆盛’可厉害呢，其他狗只要一听到‘西乡隆盛’的叫声，就会灰溜溜地逃走。但它很少汪汪地大叫，因为老是汪汪叫的狗其实胆子很小。可见，‘西乡隆盛’是个胆子很大的狗，我们全家都很喜欢它。”

现在知道了吧，“西乡隆盛”是次郎家的狗。

生气

*

与此同时，次郎座位旁边的森川是这样写的：“我的爸爸给我买来了一只我非常想要的小狗，是狼狗……而且这是一只纯种狼狗，所以它很聪明，杂种狗不够聪明。狗店的人说，次郎家的‘西乡隆盛’是杂种狗，成不了猎犬……”

“好了，大家都把笔放下了！”老师说。

“今天从第一排的次郎开始朗读作文。”

次郎有点儿慌张，他手忙脚乱地站起来，还发出一阵乱响声。而且他的声音有点儿颤抖，结结巴巴的，好一会儿才艰难地读完了。

“乙上。”老师直接给出了结果。

啊？写得很好哇，为什么才给了个“乙上”！

接着，森川开始站起来读：“……狗店的人说，次郎家的‘西乡隆盛’是杂种狗，成不了猎犬……”

听到这里，次郎生气了，他感觉受了奇耻大辱，快要气炸了。如果不是老师看着，他可能立刻就会扑上去打一架。不过，次郎忍住了。

“甲上。”老师根本没察觉到次郎的心情，给森川的作文打了高分。

qiǎng mào zi

抢帽子

*

dì èr jié kè shì tǐ yù kè
第二节课是体育课。

tóng xué men gēn jù mào zi de yán sè fēn chéng le hóng bái liǎng duì
同学们根据帽子的颜色分成了红白两队，
miàn duì miàn de zhàn zhe
面对面地站着。

tǐ yù lǎo shī zhàn zài liǎng duì zhōng jiān chuī xiǎng le shào zi
体育老师站在两队中间吹响了哨子。

dà jiā wā de yì shēng hǎn le qǐ lái
大家“哇”的一声喊了起来。

hóng bái liǎng duì zhí jiē chōng dào le yì qǐ qù qiǎng duì fāng de mào
红白两队直接冲到了一起，去抢对方的帽
zi mǎ shàng jiù luàn chéng le yì tuán
子，马上就乱成了一团。

zhèng qiǎng de jī liè shí shào zi yòu chuī xiǎng le
正抢得激烈时，哨子又吹响了。

bèi qiǎng zǒu mào zi de rén hé hái dài zhe mào zi de rén yòu gè
被抢走帽子的人和还戴着帽子的人，又各
fēn liǎng duì zhàn dào yuán lái de wèi zhì shàng
分两队，站到原来的位置上。

kě shì zhè shí cāo chǎng zhōng yāng hái zhàn zhe liǎng gè shào nián tā
可是这时，操场中央还站着两个少年，他
men sǐ sǐ de jiū zhù duì fāng de gē bo nù shì zhe duì fāng
们死死地揪住对方的胳膊，怒视着对方。

liǎng gè rén de mào zi zǎo jiù bèi zhāi diào le liǎng kē nǎo dai guā
两个人的帽子早就被摘掉了，两颗脑袋瓜
jiù zhí lèng lèng de pù shài bào lù zài qiáng liè de yáng guāng xià shài zài
就直愣愣地曝晒（暴露在强烈的阳光下晒）在

tài yáng dǐ xià hù bù sā shǒu zhè liǎng gè rén zhèng shì cì láng hé sēn chuān
太阳底下，互不撒手。这两个人正是次郎和森川。

lǎo shī zǒu guò lái xiào zhe shuō nǐ men liǎ gàn shén me ne
老师走过来，笑着说：“你们俩干什么呢？”

liǎng gè rén shuí dōu méi yǒu huí dá
两个人谁都没有回答。

shì zài shuāi jiāo ma
“是在摔跤吗？”

quán bān rén hōng táng dà xiào
全班人哄堂大笑。

cì láng bù sā shǒu sēn chuān zhōng yú xiān kāi kǒu le
“次郎不撒手！”森川终于先开口了。

hú shuō shì sēn chuān bù sā shǒu cì láng lì kè shuō dào
“胡说！是森川不撒手。”次郎立刻说道。

bié xiàng liǎng tóu xiǎo yě shòu shì de kuài sōng kāi
“别像两头小野兽似的，快松开！”

liǎng rén zhè cái fàng kāi duì fāng huí dào gè zì de duì wu lǐ qù le
两人这才放开对方，回到各自的队伍里去了。

长跑

*

抢帽子的游戏结束了，接下来是长跑。路线是绕校园跑两圈，老师说全程有四千米。

开始跑了！红白两队都跑起来了！

刚跑出校门，横着跑的队伍变成了纵队，跑在最后的两个人是次郎和森川。

次郎不是在偷懒（贪图安逸、省事，逃避该干的活），他也是在拼尽全力地跑，可还是落在了后面。平时也总是这样，所以他很讨厌长跑。

不过，短跑时次郎也会落在后面，但短跑距离短，很快就可以到达终点。可长跑不一样，距离长，跑着跑着周围就没有什么人了。

不过，他始终有一个伙伴，那就是森川。森川也和次郎一样，会拼尽全力地跑，可就是跑不快。

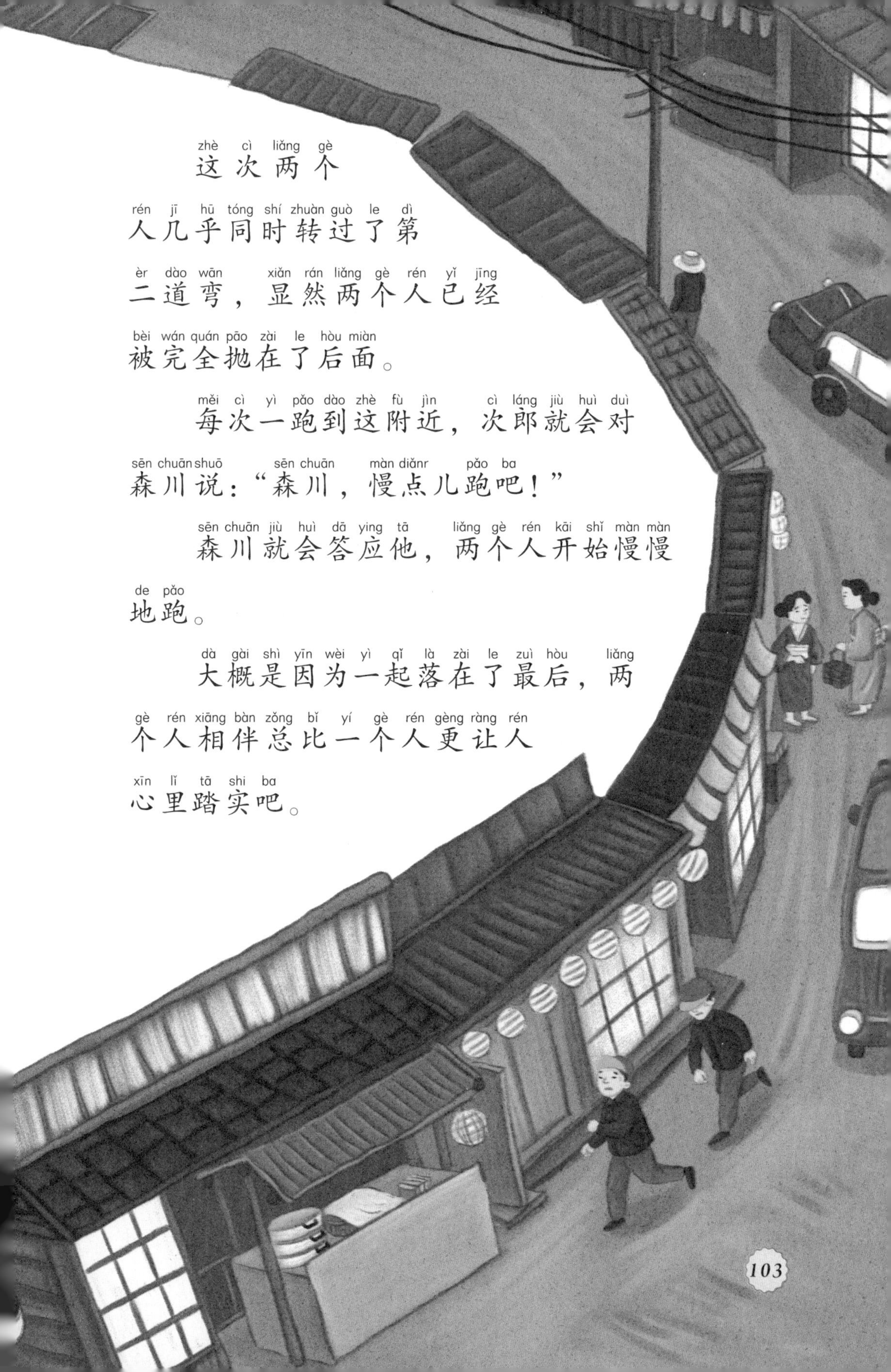

这次两个人几乎同时转过了第二道弯，显然两个人已经被完全抛在了后面。

每次一跑到这附近，次郎就会对森川说：“森川，慢点儿跑吧！”

森川就会答应他，两个人开始慢慢地跑。

大概是因为一起落在了最后，两个人相伴总比一个人更让人心里踏实吧。

hù xiāng jiào jìn

互相较劲

*

kě shì jīn tiān cì láng què méi yǒu kāi kǒu
可是今天，次郎却没有开口。

tā sì hū yǐ jīng xià dìng jué xīn jí shǐ chuǎn bú guò qì lái
他似乎已经下定决心，即使喘不过气来、
tù xiě dǎo xià yě jué bù gēn sēn chuān shuō huà
吐血倒下，也绝不跟森川说话。

yú shì sēn chuān yě òu qì nào qíng xù shēng qì de jiān
于是，森川也怄气（闹情绪，生气）地坚
chí zhe
持着。

cì láng gāng lǐng xiān yí bù sēn chuān jiù pīn mìng de zhuī shàng lái
次郎刚领先一步，森川就拼命地追上来，
liǎng gè rén de shùn xù yì zhí zài fǎn fù lún huàn
两个人的顺序一直在反复轮换。

dàn shì cì láng tū rán tíng xià lái bù pǎo le tā kāi shǐ màn
但是，次郎突然停下来不跑了，他开始慢
tūn tūn de zǒu le qǐ lái
吞吞地走了起来。

tā duì zì jǐ shuō xiàng sēn chuān zhè zhǒng jiā huo gēn běn jiù
他对自己说：“像森川这种家伙，根本就
méi bì yào bǎ tā fàng zài yǎn lǐ shū jiù shū le
没必要把他放在眼里，输就输了。”

kě shuō shì zhè me shuō tā yòu bú fàng xīn de dīng zhe sēn chuān
可说是这么说，他又不放心地盯着森川。

cì láng kāi shǐ bù xíng hòu sēn chuān yě yí xià zi xiàng xiè le qì
次郎开始步行后，森川也一下子像泄了气
shì de bù pǎo le
似的，不跑了。

liǎng gè rén mò qì de bìng pái màn tūn tūn xiàng qián zǒu zhe bú guò
两个人默契地并排慢吞吞向前走着，不过
bǐ cǐ dōu bú zuò shēng xiàng shì liǎng gè mò shēng de lù rén
彼此都不作声，像是两个陌生的路人。

kàn zhe sēn chuān ruò wú qí shì de yàng zi cì láng de huǒ qì gèng
看着森川若无其事的样子，次郎的火气更
dà le
大了。

zhè xiǎo zi dāng zhòng shuō xī xiāng lóng shèng de bù hǎo jìng rán
这小子当众说“西乡隆盛”的不好，竟然
hái zhuāng chū yí fù ruò wú qí shì de yàng zi tài ràng rén shēng qì le
还装出一副若无其事的样子，太让人生气了！

cì láng zài xīn lǐ mà zhe xié yǎn dèng zhe sēn chuān
次郎在心里骂着，斜眼瞪着森川。

duì fāng míng míng yǐ jīng zhù yì dào le kě què gù yì zhuāng zuò shén
对方明明已经注意到了，可却故意装作什
me dōu bù zhī dào zhè ràng cì láng shí zài rěn wú kě rěn
么都不知道，这让次郎实在忍无可忍。

gǒu yǔ gǒu jué dòu
狗与狗决斗

*

wèi cì láng duì zhe sēn chuān hǎn dào nǐ píng shén me shuō
“喂！”次郎对着森川喊道，“你凭什么说
bié rén jia gǒu de huài huà ne
别人家狗的坏话呢？”

wǒ méi shuō huài huà ya
“我没说坏话呀！”

nà nǐ gāng cái xiě de zuò wén shì shén me yì si
“那你刚才写的作文是什么意思？”

wǒ xiě de quán dōu shì shì shí gǒu diàn de rén jiù shì zhè me
“我写的全都是事实。狗店的人就是这么
gào su wǒ de wǒ yòu méi shuō xiā huà
告诉我的，我又没说瞎话。”

cì láng bù gān xīn xiǎng le xiǎng shuō nà zán men lái jué dòu
次郎不甘心，想了想说：“那咱们来决斗
ba kàn kan shuí jiā de gǒu gèng lì hài
吧，看看谁家的狗更厉害。”

hǎo wa
“好哇。”

jīn tiān fàng xué hòu zán men yě dì lǐ jiàn
“今天放学后，咱们野地里见。”

hǎo
“好。”

liǎng gè rén jiù zhè yàng yuē dìng zhe yào lái yì cháng jué dòu
两个人就这样约定着要来一场决斗。

cì láng yí fàng xué jiù chōng huí le jiā jìn mén jiù kāi shǐ hǎn
次郎一放学就冲回了家，进门就开始喊：
xī xiāng lóng shèng ne
“‘西乡隆盛’呢？”

正忙着打算盘的妈妈抬起头说：“哎哟，你急什么呀？也不说声‘我回来了’。”

“我是问，‘西乡隆盛’在哪儿呢？”

“你怎么说话这么没有礼貌！妈妈又不是给你看狗的。”

次郎也不听妈妈说，而是喊着：“‘西乡隆盛’！‘西乡隆盛’！”

听到他的喊声，“西乡隆盛”从后院草丛中露出头来。

“过来！”

次郎一喊，它便摇着尾巴开心地跑出来，次郎一把抱住它，把脸贴在“西乡隆盛”的脸上，亲了亲。

见面

*

“你听着，不用怕那条狼狗。好好干！我会给你很多饼干的。”

次郎又给“西乡隆盛”说了好些加油打气的话，大约过了半个小时，他才牵着“西乡隆盛”来到了约定的野地里。

而森川还没到。

此时，次郎有些不安，他还没见过森川家的狼狗，它很可能是条大狗，像平时常见的小牛那么大。如果碰上那种家伙，“西乡隆盛”恐怕对付不了。

bú guò nà zhǒng dà gǒu hěn shǎo jiàn de
不过，那种大狗很少见的……

cì láng zài xīn lǐ zhè yàng ān wèi zhe zì jǐ
次郎在心里这样安慰着自己。

jiù zài zhè shí sēn chuān chū xiàn le
就在这时，森川出现了。

sēn chuān shēn hòu shì nà tiáo cì láng hái méi yǒu jiàn guo de láng
森川身后，是那条次郎还没有见过的狼
gǒu yì rén yì gǒu zhèng màn yōu yōu de cháo zhè biān zǒu lái
狗，一人一狗正慢悠悠地朝这边走来。

gǒu méi yǒu cì láng dān xīn de nà me dà dàn shì kàn shàng qù tǐ
狗没有次郎担心的那么大，但是看上去体
xíng hěn hǎo zhè shì yì tiáo liáng zhǒng gǒu
形很好，这是一条良种狗。

cì láng bù yóu de yǒu xiē xiàn mù bú guò zài lì liàng shàng cì
次郎不由得有些羡慕。不过在力量上，次
láng duì xī xiāng lóng shèng hái shi yǒu xìn xīn de
郎对“西乡隆盛”还是有信心的。

dāng sēn chuān lái dào yǔ tā men xiāng jù shí jǐ mǐ de dì fang shí
当森川来到与他们相距十几米的地方时，
xī xiāng lóng shèng fā xiàn le láng gǒu zhàn le qǐ lái
“西乡隆盛”发现了狼狗，站了起来。

cì láng sōng kāi shǒu xī xiāng lóng shèng lì jí chōng le chū qù
次郎松开手，“西乡隆盛”立即冲了出去。

yǔ cǐ tóng shí sēn chuān yě cè guò shēn lái gěi láng gǒu ràng chū le lù
与此同时，森川也侧过身来，给狼狗让出了路。

gǒu yǔ gǒu zhī jiān de jué dòu jiù yào kāi shǐ le
狗与狗之间的决斗就要开始了。

和好

*

“西乡隆盛”跑到离狼狗两米左右的地方时，突然停住了，和狼狗互相对峙（相对而立）着。

但是其实这不是什么对峙，是狗之间的一种问候方式。

甚至，两只狗根本没有要决斗的意思，还相互蹭蹭鼻子，闻闻味道，像久别重逢的老朋友一样，也不管各自的主人，只顾跑去玩耍。

“没指望了。”次郎嘴上这么说，心里还是松了一口气。

这时，他们忽然回想起了两人平日里和睦相处的情景，他们自己也不明白为什么会对立起来，甚至还不如狗与狗之间的相处。

于是，次郎不好意思地走上前去说：“是我不好。”

yě bù guāng shì nǐ yí gè rén de cuò sēn chuān yě wēi wēi
“也不光是你一个人的错。”森川也微微
hóng zhe liǎn rán hòu yòu shuō zhè shì jiù suàn fān piān le
红着脸，然后又说，“这事就算翻篇了。”

ǹg
“嗯。”

nà ge wǒ mā ma shuō yǐ hòu wǒ men jiā de jiàng yóu jiù zhǐ
“那个，我妈妈说以后我们家的酱油就只
dào nǐ men jiā mǎi le
到你们家买了。”

hā hā shì ma
“哈哈，是吗？”

tīng le zhè huà cì láng xué zhe bà ba de yàng zi shuō le yí
听了这话，次郎学着爸爸的样子，说了一
jù chéng méng guān zhào duō xiè shuō wán měng de wān yāo jū le
句：“承蒙关照，多谢！”说完，猛地弯腰鞠了
yì gōng
一躬。

zuì hòu liǎng gè rén fàng shēng
最后，两个人放声
hā hā dà xiào qǐ lái
哈哈大笑起来。

图书在版编目（CIP）数据

小狐狸阿权 ： 友谊的桥梁 / （日） 新美南吉著 ； 学而思教研中心编 . -- 济南 ： 山东电子音像出版社，2024. 10. -- ISBN 978-7-83012-546-2

Ⅰ. I313.88

中国国家版本馆 CIP 数据核字第 2024F22C53 号

出 版 人：刁 戈
责任编辑：蒋欢欢 孟 雪
装帧设计：学而思教研中心设计组

XIAOHULI A QUAN YOUYI DE QIAOLIANG
小狐狸阿权 友谊的桥梁

[日] 新美南吉 著 学而思教研中心 编

主管单位：山东出版传媒股份有限公司
出版发行：山东电子音像出版社
地 址：济南市英雄山路 189 号
印 刷：湖南天闻新华印务有限公司
开 本：710mm × 1000mm 1/16
印 张：7.5
字 数：96 千字
版 次：2024 年 10 月第 1 版
印 次：2024 年 10 月第 1 次印刷
书 号：ISBN 978-7-83012-546-2
定 价：22.80 元

专属 ______________ 的

阅读成长记录册

阅读指导

充满趣味的阅读指引与内容导入，既有对配套书籍相关内容的介绍与分析，也有对阅读方法的细致指导与讲解，可辅助教师教学及家长辅导，亦可供孩子自主学习使用。

阅读测评

我们根据不同年龄段孩子的注意力集中情况、阅读速度、理解水平以及智力和心理发展特点，有针对性地对孩子进行阅读力的培养。孩子也可以根据自己的阅读水平，自主规划阅读时间。

年级	日均阅读量	重点阅读力培养
1—2	约 1000 字	认读感知能力，信息提取能力
3—4	约 6000 字	推理判断能力，分析归纳能力
5—6	约 9000 字	评价鉴赏能力，迁移运用能力

阅读活动

通过形式多样的阅读活动，调动孩子的阅读积极性，培养孩子听、说、读、写、思多方面的能力，让孩子能够综合应用文本，更有创造性地阅读。

六大阅读能力

认读感知能力	认读全书文字 感知故事情节
信息提取能力	提取直接信息 提取隐含信息
推理判断能力	推理词句含义 作出预判推断
分析归纳能力	分析深层含义 归纳主要内容
评价鉴赏能力	评价人物形象 鉴赏词汇句子
迁移运用能力	内容联想延伸 知识迁移运用

第一关

调皮的阿权
跑到河边

第二关

发现兵十
“鳗鱼帽子”

第三关

发现异常
去往墓地
原来是兵十的妈妈

第四关

补偿兵十
送栗子

第五关

兵十的疑惑
难道是神明
发现真相

第六关

下雪了
冻得发麻
夜幕降临

第七关

害怕
小狐狸变小宝宝
装作是人

第八关

找到帽子店
买到了手套
飞奔回去

第九关

赶庙会
买木屐

第十关

被狐狸附体
恐怖的氛围

第十一关

往回走
咳嗽
没有人送文六

第十二关

担心自己
问妈妈

第十三关

如果是真的，会怎样呢
一家人都变成狐狸
不要变成狐狸

第十四关

吹口哨
发现了一只小狗
把狗带回了家

第十五关

被送走
告别
再见

第十六关

抓住锹甲
寻找更有趣的玩法

第十七关

找金平
找恭一
去修车铺

第十八关

不再是小孩子
大人与小孩子的距离

第十九关

写作文
“西乡隆盛”
生气

第二十关

抢帽子
长跑
互相较劲

第二十一关

狗与狗决斗
见面
和好

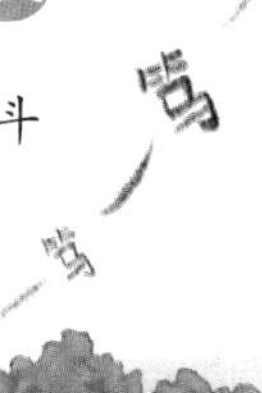

你见过几次三番给人送食物的小狐狸吗？你知道小狐狸买手套的时候发生了哪些事情吗？你听过“晚上买木屐会被狐狸附体”的传说吗？相信你一定已经猜到了，这些故事都出自日本童话大师——新美南吉的笔下。在他的笔下，你不仅能感受到美好的友情、亲情，还可以学到如何对待小动物、如何与朋友和睦相处……现在，让我们一起走进《小狐狸阿权》去体会学习吧！

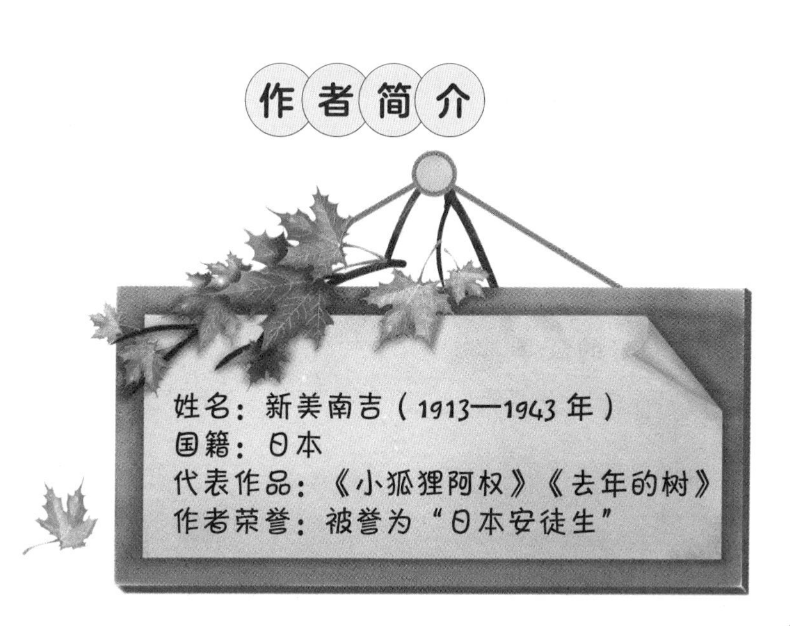

内容简介

《小狐狸阿权》是一本故事集，包含了《小狐狸阿权》《小狐狸买手套》《小狐狸》《钱坊》《小太郎的悲哀》和《决斗》六个故事。

《小狐狸阿权》讲了调皮的小狐狸阿权为弥补自己贪玩犯下的错，偷偷给兵十送吃的却被兵十误伤的故事。

《小狐狸买手套》讲了在寒冷的冬天，为了不让小狐狸的手冻伤，狐狸妈妈让小狐狸冒险去镇上买手套的故事。

《小狐狸》讲了文六与同伴去买木屐，听了老奶奶说的“晚上买木屐会被狐狸附体”的传说导致同伴全都害怕文六，没人愿意送他回家的故事。

《钱坊》讲了一只小流浪狗被人收留、转送，最终被抛弃再次成为流浪狗的故事。

《小太郎的悲哀》通过小太郎抓到大锹甲却没有朋友分享的故事，告诉我们进入大人的世界，就再也回不到儿童世界了。

《决斗》讲了两个好朋友因为狗而生气决裂，又因为狗而和好的故事。

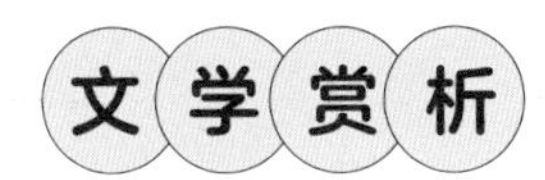

一、贴近生活的情节。

作者从生活中的平凡小事入手，构思精巧。故事中的人和事，我们总能在现实中找到影子，例如，小狐狸阿权就像一个活泼天真又调皮的小孩子，我们可以在他的身上看到童年的自己。这些动人的情节让我们在阅读的时候更能身临其境。

二、浅显易懂的文字。

书中的语言是简单质朴的，没有华丽的词语、复杂的修辞，小朋友自己就可以读下来。通顺的语言可以帮助我们培养独立看书的好习惯，让我们在简单轻松的阅读中就能潜移默化地受到优秀思想的熏陶。

三、娓娓道来的风格。

本书中的六个故事篇幅都不长，作者运用白描的手法，使每一篇故事都朴实无华。娓娓道来的叙事风格，让每一个故事都拥有生命力，阅读这些有趣的故事会感觉它们似乎是发生在我们身边的，读起来十分亲切。

阅读方法

1 仔细看插图，理解故事细节。

本书插图丰富且贴合故事情节，在阅读的过程中，小朋友可以借助图片理解故事的场景、人物的形象等，阅读的时候会更有趣味。

2 读完故事和父母交流阅读感受。

新美南吉的作品感情充沛，比较适合亲子共读。亲子共读成功的关键是亲子交流，不在于爸爸妈妈的声音是否好听，而在于是否用心、有爱。爸爸妈妈通过阅读，给孩子陪伴和爱，还可以把自己对故事、对人生的理解感悟传递给孩子。

3 能够自己动笔写一写。

本书共有六个故事，每个故事所表达的主题是不同的，读完一个故事后，可以及时写下自己的心得体会，做好读书笔记。小朋友也可以为喜欢的故事写一个梗概，锻炼自己组织语言的能力。

阅读测评

tiáo pí de ā quán → pǎo dào hé biān
调皮的阿权 → 跑到河边

1.（单选）小狐狸阿权把家安在了哪里？请你找出来。（ ）

（信息提取能力）

A. 树上的房子 B. 树旁的小洞 C. 树干上的树洞

2.（单选）开动脑筋想一想，阿权这么做可能有哪些原因？

（推理判断能力）

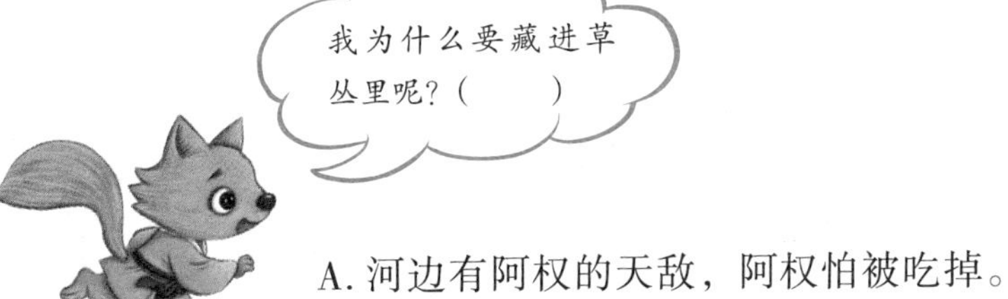

A. 河边有阿权的天敌，阿权怕被吃掉。

B. 阿权藏起来，也许有机会搞恶作剧。

C. 阿权害怕人类。

调 调 调 皮 皮 皮

扫码查看笔顺

fā xiàn bīng shí → mán yú mào zi
发现兵十 → “鳗鱼帽子”

3.（多选）兵十在河里吃力地捕鱼，他有哪些收获？（　　）

（信息提取能力）

A. 鳗鱼　　B. 鲶鱼　　C. 雅罗鱼

4.（单选）阿权把兵十辛辛苦苦捕来的鱼都扔回了河里，还被鱼缠住了头怎么也甩不掉，他的行为可以用哪个成语来表示？（　　）

（迁移运用能力）

A. **先人后己：** 首先考虑别人，然后想到自己。

B. **损人害己：** 形容既害了别人，又害了自己。

C. **舍己为人：** 为了他人而牺牲自己的利益。

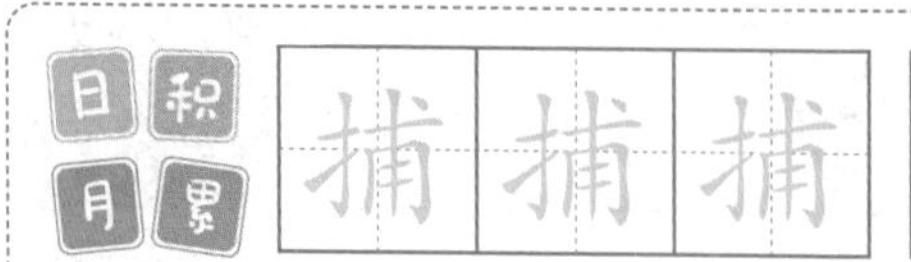

扫码查看笔顺

fā xiàn yì cháng → yuán lái shì
发现异常 → 原来是

bīng shí de mā ma
兵十的妈妈

5.（连线）阿权看到村子里的女人们在做什么呢？请你连一连。

（信息提取能力）

新兵卫的妻子	梳头
弥助的妻子	在灶台边烧火
穿和服的妇女	染牙齿

6.（单选）阿权知道去世的人是兵十妈妈后“心情复杂地走了”，他想到了什么？（　　）

（推理判断能力）

A. 兵十的妈妈是因为没有吃到鳗鱼而去世的。

B. 兵十的妈妈在去世前没吃到鳗鱼肯定很失望。

C. 兵十家里没有吃的，病重的妈妈需要兵十捕鱼来填饱肚子。

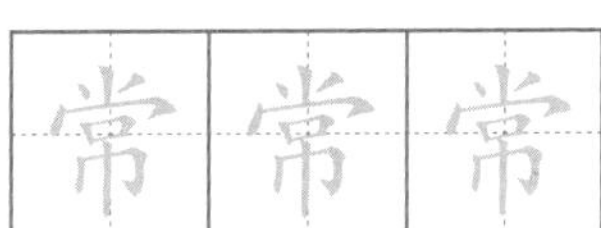

扫码查看笔顺

bǔ cháng bīng shí → sòng lì zi
补偿兵十 → 送栗子

7.（圈画）阿权为了补偿兵十，都送了哪些东西到兵十家？

（认读感知能力）

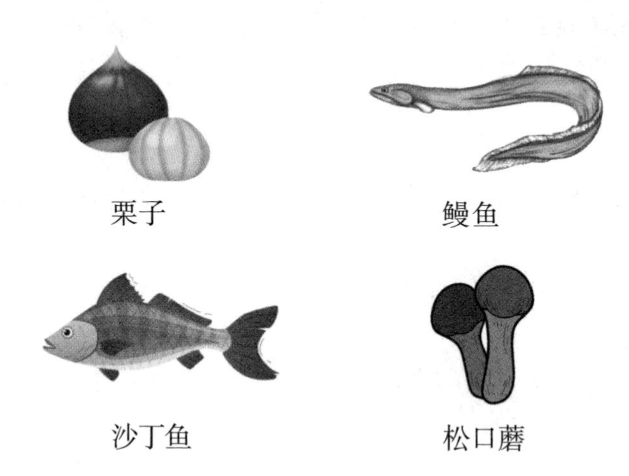

8.（多选）通过恶作剧、送东西给兵十这些事，可以看出阿权是一个怎样的小狐狸？（　　）

（评价鉴赏能力）

A. 总是无理取闹，故意搞破坏且不知悔改。

B. 淘气，喜欢恶作剧，但本性善良，有同情心。

C. 心思细腻，善于观察，恶作剧时不考虑后果。

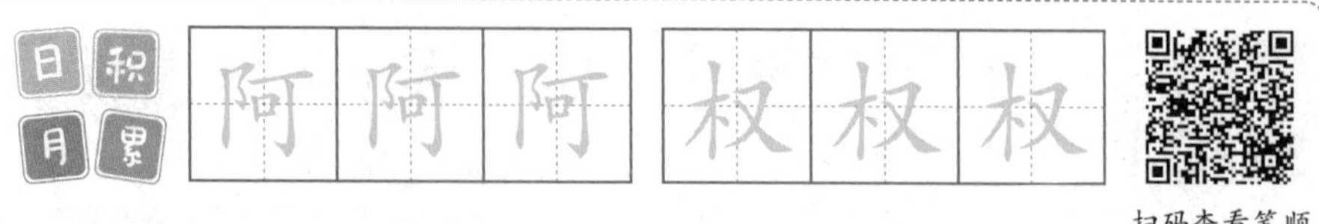

兵十的疑惑 → 发现真相

bīng shí de yí huò → fā xiàn zhēn xiàng

9.（单选）兵十和加助交谈后，以为是（　　）送来了栗子和松口蘑。

（信息提取能力）

A. 小狐狸　　B. 神明

10.（单选）兵十开了一枪之后，失去了一个可爱的伙伴，从他的行为中我们可以吸取什么教训？（　　）

（分析归纳能力）

A. 要善待所有的动物。

B. 对待坏人绝不能手下留情。

C. 要弄明白事情的原因和经过再做决定。

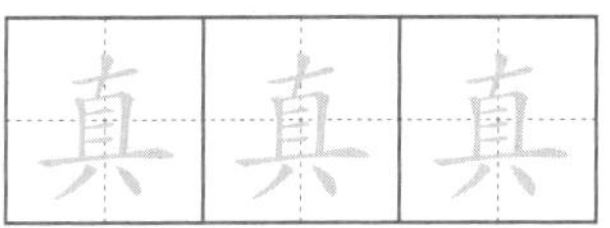

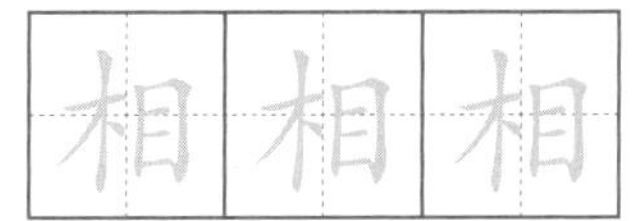

扫码查看笔顺

xià xuě le → yè mù jiàng lín
下 雪 了 → 夜 幕 降 临

11.(单选)小狐狸的眼睛怎么了?(　　)

(信息提取能力)

A. 眼睛里飘进了雪花。

B. 被猛烈的北风吹得又干又疼。

C. 被积雪反射的白光刺疼了。

12.(判断)狐狸妈妈为什么等天彻底黑了才带狐狸宝宝走出洞来?

(推理判断能力)

因为晚上可以看到最漂亮的白雪世界。(　　)

因为晚上人们和狐狸的天敌不会出门,更安全。(　　)

因为只有天色黑透了才能看到那片神秘的亮光。(　　)

降 降 降 临 临 临

扫码查看笔顺

hài pà → zhuāng zuò shì rén

害怕 → 装作是人

13.(圈画)小狐狸要到镇上去买什么?

(信息提取能力)

帽子

围脖

手套

14.(排序)小狐狸要怎样做才能安全地买到东西?请你排一排顺序。

(分析归纳能力)

①把变出来的小手伸进去,装作是人类小孩。

②敲门问声“晚上好”,表示礼貌。

③告诉卖东西的人“请卖给我一副合适的手套”。

④找到门牌上挂着大黑礼帽的商店。

____

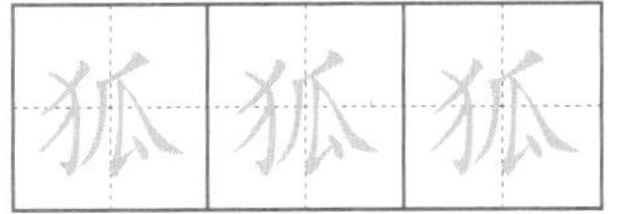

狸 狸 狸

扫码查看笔顺

zhǎo dào mào zi diàn → fēi bēn huí qù
找 到 帽 子 店 → 飞 奔 回 去

15.（判断）仔细阅读，判断对错。

（认读感知能力）

（1）小狐狸找到了帽子店，把变成人类小孩子的手伸进门里买到了手套。（　　）

（2）店老板因为小狐狸没有钱，所以没有把手套卖给他。（　　）

（3）人类妈妈和狐狸妈妈都会用温柔的声音哄宝宝睡觉。（　　）

16.（选择填空）请选择合适的词语，补全句子。

（迁移运用能力）

（1）看到小狐狸之后，店老板非常（　　）。

（2）店里的灯光晃眼，小狐狸一下子就（　　）了。

（3）（　　）的妈妈在哄孩子睡觉。

 A. 温柔　 B. 吃惊　 C. 慌乱

帽 帽 帽　店 店 店

扫码查看笔顺

gǎn miào huì → mǎi mù jī
赶 庙 会 → 买 木 屐

17.（单选）孩子们晚上从家里出来主要是为了做什么？（　　）

（信息提取能力）

A. 买木屐　　B. 赶庙会　　C. 看影子

18.（连线）文六有哪些特点？将对应的卡片和男孩进行连线。

（分析归纳能力）

瘦瘦白白

眼睛大大的

脾气很大

害羞腼腆

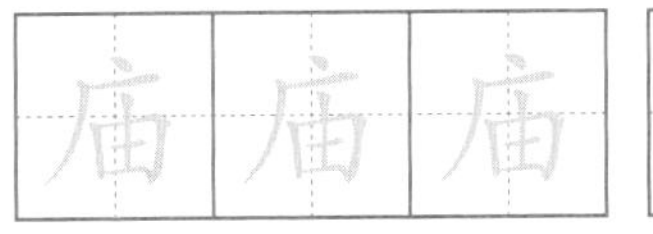

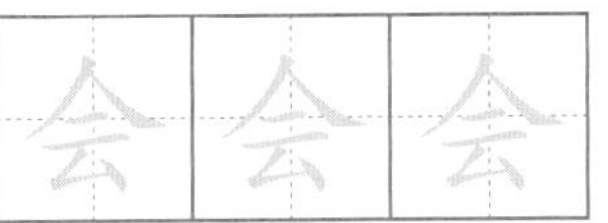

扫码查看笔顺

bèi hú li fù tǐ → kǒng bù de fēn wéi
被狐狸附体 → 恐怖的氛围

19.（单选）孩子们听了老奶奶的话有怎样的心理活动？（　　）

（评价鉴赏能力）

20.（多选）庙会上有什么好玩的事情？（　　）

（信息提取能力）

A. 可以放烟花和鞭炮　　B. 可以买到好吃的棉花糖

C. 可以看小女童耍扇子　　D. 可以看木偶跳祝福舞

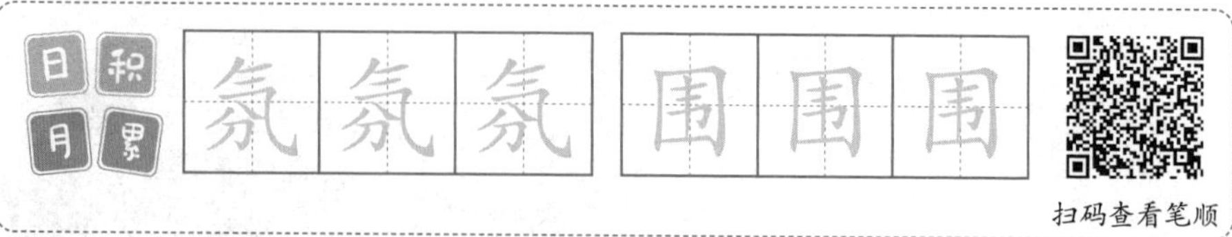

wǎng huí zǒu → méi yǒu rén sòng wén liù
往 回 走 → 没 有 人 送 文 六

21.（选择填空）请你为画线的多音字选择正确的读音。

（认读感知能力）

（1）一个孩子凑到另一个孩子的耳边，悄悄（　　）地说了些什么。

（2）那个孩子再去对别人悄（　　）声耳语。

A.qiǎo　　　　B.qiāo

22.（单选）为什么大家今晚都不送文六了呢？（　　）

（推理判断能力）

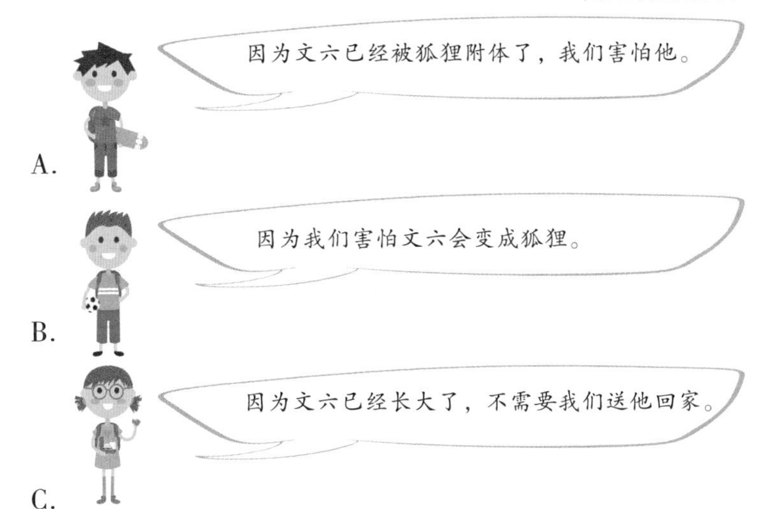

老 老 老 板 板 板

扫码查看笔顺

dān xīn zì jǐ → wèn mā ma
担心自己→问妈妈

23.（单选）没有人关心文六，也没有人送文六回家，文六感到（　　）。

（认读感知能力）

A. 
B. 
C. 

24.（多选）妈妈对家中独苗文六的关爱体现在哪些方面？（　　）

（分析归纳能力）

A. 和上小学三年级的文六一起睡觉。
B. 听文六磕磕巴巴地讲白天干了些什么。
C. 给其他孩子橘子和点心，叫他们和文六一起玩。
D. 晚上在家门口等文六从镇上玩耍回来。

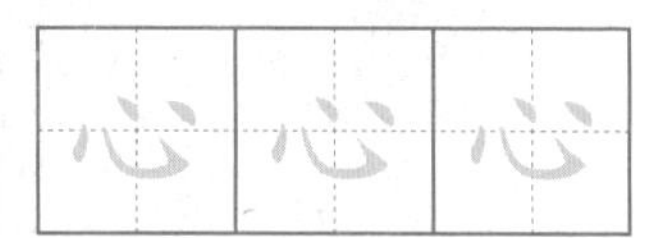

扫码查看笔顺

rú guǒ shì zhēn de huì zěn yàng ne
如果是真的，会怎样呢→

bú yào biàn chéng hú li
不要变成狐狸

25.（单选）从下面的句子中可以看出文六的妈妈是一个（　　）的人。

（评价鉴赏能力）

虽然文六讲起来磕磕巴巴的，但是妈妈总是很开心地听文六讲这些事。

A. 细心，善于观察　　B. 耐心，认真倾听

C. 热心，温厚善良

26.（多选）在山里生活的狐狸可能会遇到哪些危险？（　　）

（推理判断能力）

A. 狗熊捕食　　B. 雪天断粮

C. 猎人猎杀　　D. 猎狗追赶

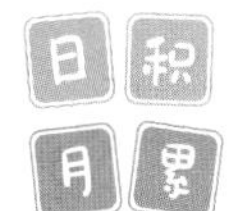

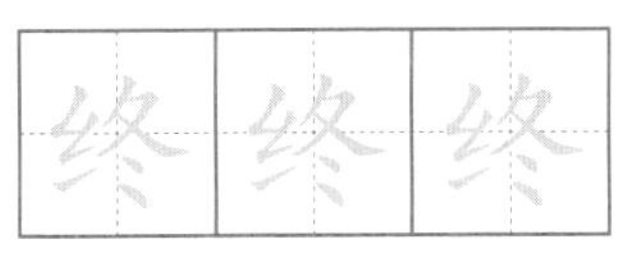

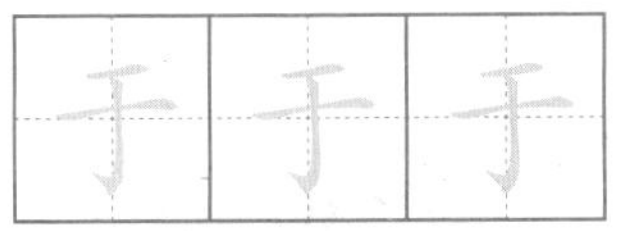

扫码查看笔顺

chuī kǒu shào → bǎ gǒu dài huí le jiā
吹口哨 → 把狗带回了家

27.（多选）坦吉第一次见到“钱坊”时，它是什么样子的？（　　）

（信息提取能力）

A. 浑身灰色的毛，带着臭味。

B. 浑身雪白的毛，很干净。

C. 一只眼睛已经瞎了。

D. 头顶有一大块黑斑。

28.（单选）叔叔为什么要送走“钱坊”？（　　）

（推理判断能力）

A. 因为叔叔本来就是固执又很无情的人。

B. 因为“钱坊”做了坏事，惹得叔叔很生气。

C. 因为叔叔平时就不喜欢狗这种小动物。

日积月累

进　进　进　入　入　入

扫码查看笔顺

bèi sòng zǒu → zài jiàn
被 送 走 → 再 见

29.（多选）分别后，坦吉再次见到“钱坊”时它有什么变化？（　　）

（信息提取能力）

A. 更加瘦弱　　B. 两只眼睛都瞎了

C. 被泽田叔叔牵着　　D. 长尾巴不能摆动了

30.（判断）阅读故事，判断对错。

（推理判断能力）

（1）泽田叔叔领走“钱坊”后没有照顾好它。（　　）

（2）“钱坊”走后，坦吉去泽田叔叔家里看过它。（　　）

（3）坦吉看到的楼下马路上的流浪狗不是“钱坊”。（　　）

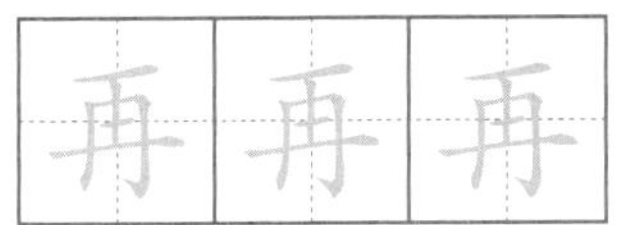

见 见 见

扫码查看笔顺

第16关

zhuā zhù qiāo jiǎ
抓 住 锹 甲 →

xún zhǎo gèng yǒu qù de wán fǎ
寻 找 更 有 趣 的 玩 法

31.（单选）小太郎在哪里抓到了锹甲？（ ）

（信息提取能力）

A. 马棚 B. 花田 C. 麦田 D. 草堤

32.（圈画）给画横线的字选择正确的读音，在对的读音下画“√”。

（认读感知能力）

（1）锹甲像个老牛<u>似</u>（sì shì）的，摇摇晃晃来回走着。

（2）小太郎<u>拎</u>（līn līng）着被线绑着的锹甲，走出了家门。

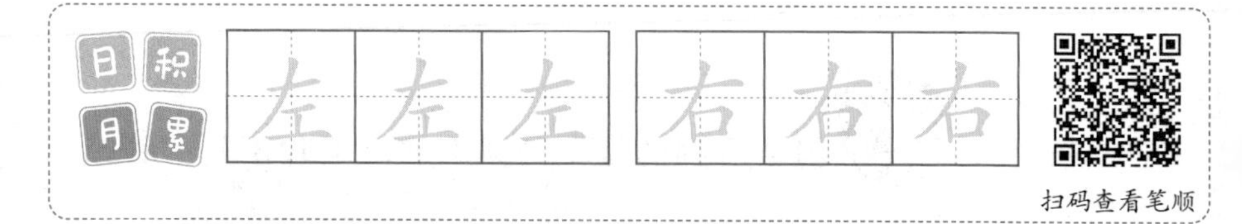

zhǎo jīn píng → qù xiū chē pù
找 金 平 → 去 修 车 铺

33.（排序）请你按顺序把许愿星们串起来。

（分析归纳能力）

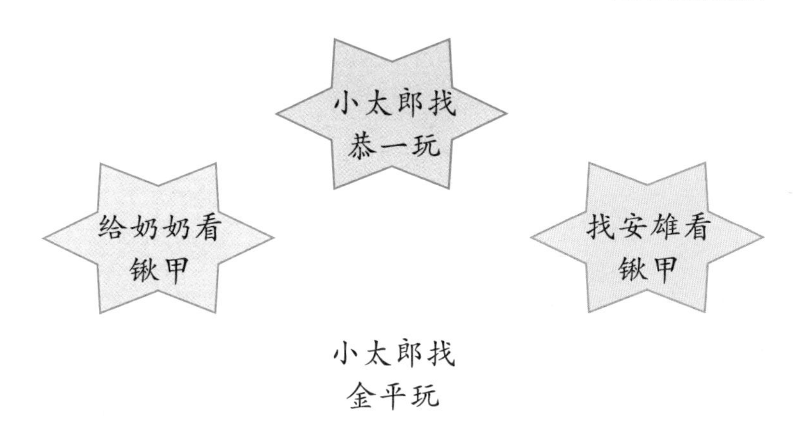

小太郎找
金平玩

34.（连线）小太郎的朋友为什么都不能和他玩锹甲？

（信息提取能力）

金平	去三河的亲戚家住
安雄	肚子疼，还在床上休息
恭一	用磨刀石磨刨子刃

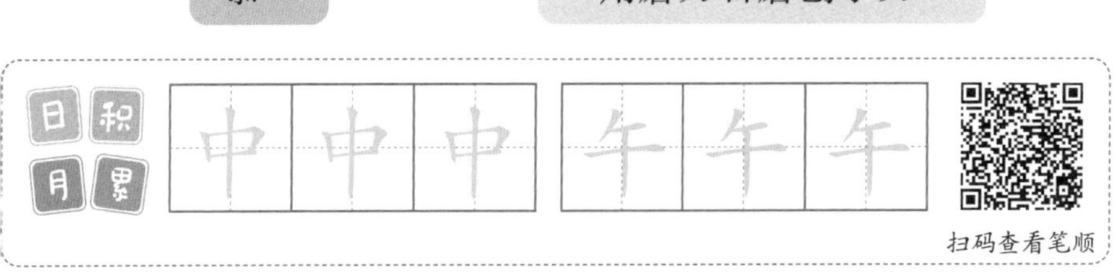

bú zài shì xiǎo hái zi
不再是小孩子→

dà rén yǔ xiǎo hái zi de jù lí
大人与小孩子的距离

35.（多选）安雄为什么不和小太郎一起玩了？（　　）

（分析归纳能力）

A. 安雄爸爸不允许。

B. 安雄需要和爸爸一起干活。

C. 安雄不喜欢和小孩子一起玩。

36.（单选）“一旦进入了大人世界，就再也不会回到那个纯真无邪的儿童世界里来了。”这句话给我们什么启示？（　　）

（迁移运用能力）

A. 要珍惜现在美好快乐的童年时光。

B. 大人世界很可怕，要尽量远离。

C. 要做勤劳的大人，不做贪图享受的儿童。

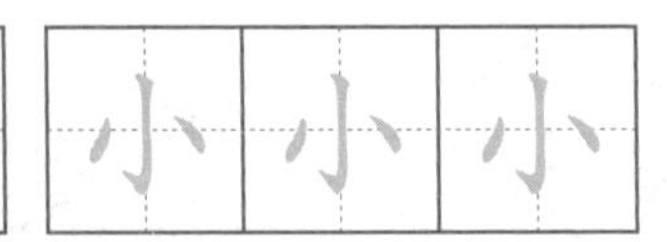

扫码查看笔顺

xiě zuò wén → shēng qì
写作文 → 生气

37.（单选）次郎笔下的“西乡隆盛”是什么？（　　）

（信息提取能力）

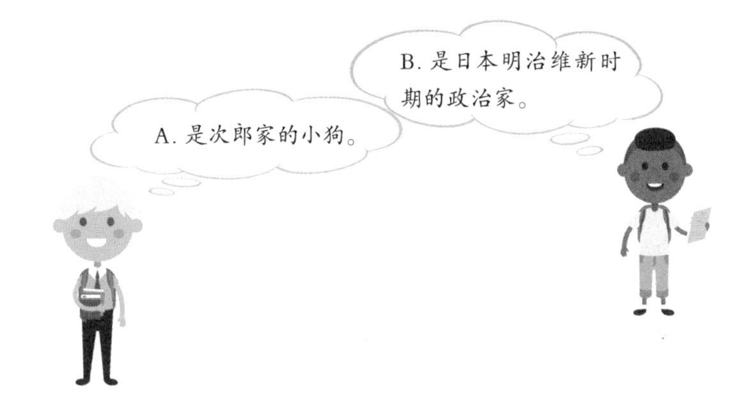

38.（多选）“西乡隆盛”有哪些特点？（　　）

（分析归纳能力）

A. 它会快速捡球，从不故意破坏物品。

B. 它时常汪汪大叫，把其他的狗吓走。

C. 它胆子很大，却很少汪汪大叫。

D. 只要次郎喊它的名字，它就会跑过来。

日积月累

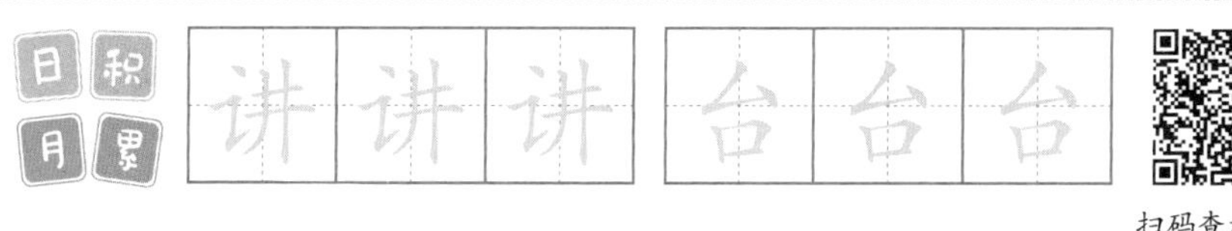

扫码查看笔顺

第20关

qiǎng mào zi → hù xiāng jiào jìn
抢 帽 子 → 互 相 较 劲

39.（选择填空）请你把相对应的选项填到括号中。

（认读感知能力）

长跑时，同学们一开始（　　）跑，出了校门后是（　　）跑。

A. 纵队跑　　　B. 并排跑

40.（单选）猜一猜，次郎和森川两人谁会最先到达终点？（　　）

（推理判断能力）

A. 次郎

B. 森川

C. 两人几乎同时到达

较 较 较 劲 劲 劲

扫码查看笔顺

gǒu yǔ gǒu jué dòu → hé hǎo
狗与狗决斗→和好

41.（单选）次郎许诺，“西乡隆盛”和狼狗决斗后会得到什么？（　　）

（信息提取能力）

A. 骨头　　B. 饼干
C. 皮球　　D. 手套

42.（多选）从两只狗一起玩耍、次郎和森川重归于好的故事中我们可以明白什么道理？（　　）

（迁移运用能力）

A. 要珍惜拥有的友谊，和朋友和睦相处。
B. 要勇于承认自己的错误，不能因为小事而失去朋友。
C. 朋友做错的地方要及时帮他指出来让他改正。

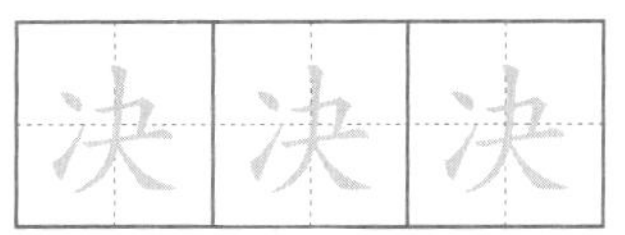

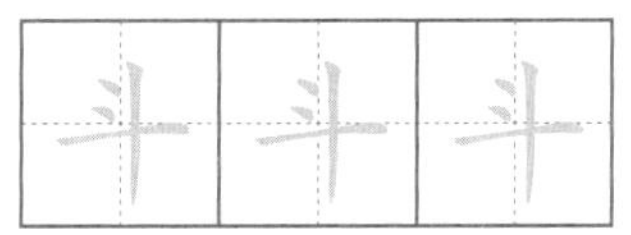

扫码查看笔顺

阅读活动

1 故事回顾

读完了整本书，相信你一定对书中的主人公们很熟悉了，下面的表格中对应的主人公分别是谁？请你把表格填完整。

人物	事件
	晚上到镇上买了一双木屐
	抓到一只大锹甲
	独自到镇上买手套
	因为“西乡隆盛”和朋友闹别扭
	为兵十送去了栗子、松口蘑
	捡到一条小狗并给它起名叫“钱坊”

2 人物介绍卡

本书中出现了许多人物，请从中选择一个你最喜欢的人物，完成下面的人物介绍卡，再根据卡片为同学们具体介绍一下他的事迹吧！

人物介绍卡

人物姓名：______________________

人物性格：______________________

他 / 她 / 它做过的事情：__________________

____

喜欢的原因：______________________

____

3 我能演一演

《小狐狸买手套》是一个很有深意的故事，让我们看到了浓浓的亲情。你可以参考下面的情景，或选择原文中的其他情景，和家人一起演一演。

【场景一】：银装素裹的森林里，小狐狸的洞穴门口白雪皑皑。

【角　色】：小狐狸、妈妈

小狐狸： 妈妈，妈妈，有什么东西扎到我眼睛里了，好疼啊！快给我拔出来啊，快点儿！快点儿！

妈妈： 怎么了，孩子？把手拿开，让妈妈看看。咦？什么也没有啊？

小狐狸： 妈妈，我还是睁不开眼睛。

妈妈： 孩子，你的眼睛里没东西，只不过是被照到雪上的阳光晃了一下。来，揉揉眼睛，慢慢睁开，适应一会儿就会好的！啊，看哪，这可是今年的第一场雪，多美啊！快啊，赶快去雪地里好好玩儿吧！

4 我来分享小故事

《小狐狸阿权》《小狐狸买手套》《小狐狸》被誉为“狐狸三部曲”，是日本最有名的狐狸故事。小朋友，你还听过哪些关于狐狸的故事？能不能和同学们讲一讲呢？快快为它写一个简单的介绍词，推荐给大家吧！如果不知道可以让老师给你推荐或者求助父母借助网络为你查找。

我知道____________的故事

故事讲的是________________________________

____

____

5 动笔画一画

这本书不仅有动人的故事情节，还为我们描绘了美妙的自然风光，快拿起你的画笔为下面的这段文字配上一幅美丽的画吧！

雨后的河岸非常潮湿，平日里低着头、没精打采的狗尾巴草，此时也精神起来，毛茸茸的草穗上都挂满了亮晶晶的水珠。

小河里的水原来是浅浅的一层，现在也变深了一点儿，水流哼着“哗啦啦”的曲子欢快地奔向前方。

原来没有被河水没过的胡枝子，现在也被冲倒了，它们趴在河面上随着水流东摇西晃，调皮得像个孩子。

6 故事交流会

小朋友，班里将要举办一个《小狐狸阿权》的交流会，请你从书中选择一个最喜欢的故事，用自己的话简要地和同学们讲一讲，让大家一起感受故事的精彩之处吧！

参考答案

阅读测评

1.B

2.B

3.AC

4.B

5.

新兵卫的妻子——梳头

弥助的妻子——染牙齿

穿和服的妇女——在灶台边烧火

6.B

7. 栗子、沙丁鱼、松口蘑

8.BC

9.B

10.C

11.C

12.× √ ×

13. 手套

14. ④②①③

15.（1）× （2）× （3）√

16.（1）B （2）C （3）A

17.B

18.

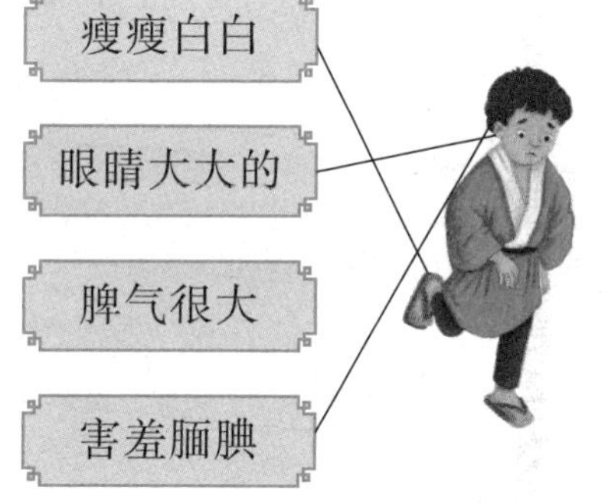

19.B

20.ABCD

21.（1）B （2）A

22.B

23.C

24.ABC

25.B

26.BCD

27.ACD

28.C

29.AB

30.(1)√　(2)×　(3)×

31.D

32.(1)shì　(2)līn

33.

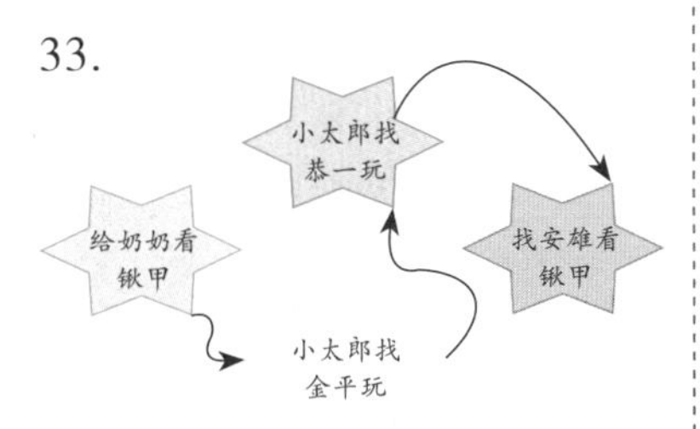

34.

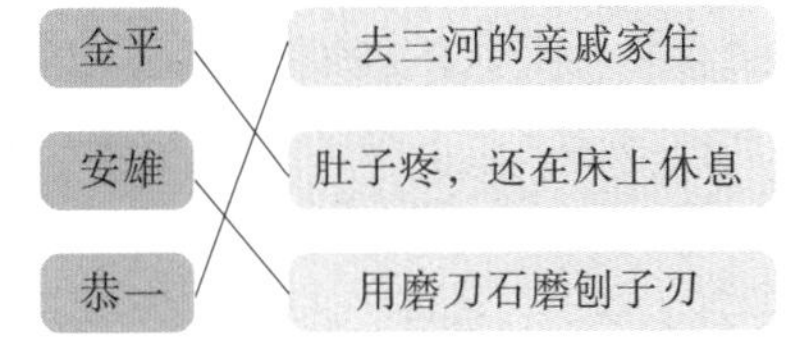

35.AB

36.A

37.A

38.ACD

39.B A

40.C

41.B

42.AB

阅读活动

1. 文六　小太郎　狐狸宝宝　次郎　阿权　坦吉

2. 示例：

人物介绍卡

人物姓名：次郎

人物性格：单纯善良，真诚，有爱心

他/她/它做过的事情：因为自己家的"西乡隆盛"而和朋友森川闹了别扭，决定让两人的狗决斗，最终两人和好如初。

喜欢的原因：1. 次郎是真心爱护小狗的，他为了维护自己家的狗不惜和朋友决裂。2. 次郎知错就改，主动修复和森川之间的关系，没有因为一时冲动而失去朋友。

3. 略

4. 示例：我知道狐狸与乌鸦的故事。

故事讲的是乌鸦得到一块肉，狐狸想尽办法要从乌鸦嘴里得到那块肉，但乌鸦不理他。后来狐狸夸乌鸦的歌声好听，乌鸦得意地唱起歌来，一张嘴肉就掉了，狐狸便得到了肉。

5. 略

6. 故事：《小太郎的悲哀》

内容：小太郎抓到了一只大锹甲，他拿回家给奶奶看，奶奶在打瞌睡，对锹甲不感兴趣。于是他去找朋友们玩锹甲。他先去了金平家，金平肚子疼不能和他玩；他又去找恭一，恭一去了亲戚家，要很久才能回来；他接着去修车铺找安雄玩，可安雄不再是小孩子了，他已经开始和爸爸一起工作了。小太郎由此意识到进入大人的世界，就再也回不到纯真无邪的儿童世界了，不禁陷入伤感之中，忘记了抓到的锹甲。